Het dualiteitenkabinet

Het dualiteitenkabinet

Over bestuurders, kaders en stoeptegels

Hans Korringa
Jan van der Molen

2005 ≋ KONINKLIJKE VAN GORCUM

NUR 805

ISBN 90 232 4115 0

Deze publicatie is mede mogelijk gemaakt door een bijdrage van de
Bank Nederlandse Gemeenten

BANK
NEDERLANDSE
GEMEENTEN

Grafische verzorging: Koninklijke Van Gorcum, Assen
Redactie: Tekstkracht 20, Groningen

© 2005, Koninklijke Van Gorcum BV, Postbus 43, 9400 AA Assen.

Inhoud

Woord vooraf

Vanuit onze praktijk als organisatieadviseur zijn we tegen het fenomeen 'het duale stelsel' aangelopen. Voor ons was dit een min of meer nieuwe term. Aan ons als burger was de invoering in 2002 volledig voorbij gegaan. Direct betrokkenen vertelden ons over nieuwe functies, posities en rollen die opnieuw gezocht en ingevuld moesten worden, dat er 'alleen nog maar aandacht is voor procedures en richtlijnen' en dat er nog meer vergaderd werd dan voorheen. Onze interesse was gewekt. Er waren dingen veranderd. Er was van bovenaf ingegrepen. In bestaande relaties en verhoudingen was het mes gezet. Tot onze verrassing was dat gedaan om ons! Wij, de burgers, moesten meer lokaal politiek geïnteresseerd raken. De publieke tribune bevolken, inspreken tijdens diverse door de raad georganiseerde oploopjes, aan de wethouder vragen waar die jeugdhangplek bleef, omdat er dagelijks grote groepen tieners bij ons voor de deur zaten. Tjonge, en wij konden ons totaal niet herinneren dat wij dit voorgesteld hadden, of een brief naar welke bestuurder dan ook hadden gestuurd met het dringende verzoek om binnen onze gemeente de zaak eens flink op te schudden.

Maar de gevolgen waren er. Mensen moesten, soms meer, soms minder veranderen. Raadsleden gingen in hoofdlijnen denken en controleren. Wethouders gingen uitvoeren en waren geen lid meer van de raad. Burgemeesters bleven voorzitter van het college én voorzitter van de raad, ondanks de nu gescheiden bevoegdheden (Als dat geen fantastische positie is.). Bovenal was het nu duidelijk dat de raad de baas was van het dorp.

Meehelpen organisaties te veranderen opdat ze beter gaan beantwoorden aan doelen waartoe ze eens in het leven zijn geroepen, dat is ons vak. Een organisatie is een verzameling mensen. Het gaat dus om mensen die hun gedrag moeten veranderen. Dat is geen sinecure. Als zodanig hebben wij gekeken naar de invoering van het duale stelsel: als een veranderingstraject.

Vragen die wij ons gesteld hebben waren:
- Wat is de aanleiding tot de verandering geweest. Wie vond eigenlijk dat dit moest en waarom?
- Welke doelen zijn precies gesteld en wanneer moeten deze gerealiseerd zijn?
- Hebben betrokkenen een grote interpretatievrijheid of was de af te leggen weg nauwkeurig gedefinieerd?
- Worden er nieuwe eisen gesteld aan betrokken bestuurders en politici? Kan iedereen meekomen in dit traject? Hoe zit het met wijkers en blijvers?
- Hoe wordt dit project gestuurd en door wie?
- Wie zijn stakeholders en hoe worden dezen betrokken bij dit alles?
- Welke doelen zijn al gerealiseerd?

Vanuit deze veranderkundige vragen hebben we naar de invoering van het duale stelsel gekeken. De veranderkundige literatuur hebben we gelegd naast het beeld dat bij ons is ontstaan na ruim 30 interviews met betrokkenen en bestudering van honderden web- en gewone pagina's. Wat ons is opgevallen hebben we geprobeerd te verklaren.

De kernvraag was of de invoering van het duale stelsel aan alle voorwaarden van een succesvol veranderingsproces voldoet, of dat er, uitgaande van de gangbare veranderkundige principes, bijgestuurd moet worden, en zo ja, op welke wijze?

Hans Korringa en Jan van der Molen

1

Inleiding

"Wanneer de instanties door een slecht bestuur hun recht en macht verbeuren, dan keert de hoogste macht bij de gemeenschap terug, en het volk heeft het recht soeverein te handelen en de wetgevende macht zelf uit te oefenen of een nieuwe regeringsvorm op te richten, en de hoogste macht (die het volledig en onbeperkt bezit) in nieuwe handen te leggen, geheel zoals het volk wil." (John Locke, 1690)

Maart 1984
De Staatscommissie Biesheuvel brengt advies uit inzake de relatie kiezers-beleidsvorming. Men bekeek nut en noodzaak van de directe verkiezing van de burgemeester.

6 september 1989
Verkiezingsdag. Hans van Mierlo gaat met zijn partij deze verkiezingen in met de oproep het debat over de staatkundige vernieuwing te heropenen.

17 januari 2000
Prof. mr. Douwe Jan Elzinga presenteert op het stadhuis te Den Haag 1062 bladzijden die er 3 kilo zwaar inwegen. In ongeveer een jaar is het Nederlandse lokale bestuur doorgelicht. Voorwaar een hele prestatie.

7 maart 2002
De kranten weten ons te melden dat het die dag prachtig weer is. De maximum temperatuur is 10,7 °C. Er valt nauwelijks regen en de zon schijnt praktisch de gehele dag. Het waait wel stevig, windkracht 5-6. Dat de nieuwe gemeentewet van kracht is geworden haalt nergens het nieuws. Wat wel? Een willekeurige greep uit de berichten:
- Hans Goessens, tot 1 december hoofdredacteur van het Limburgs Dagblad, is gisteren in zijn woonplaats Nuth na een langdurige ziekte overleden. Hij werd 53 jaar.

- Endemol wordt volledig eigenaar van de Britse comedy-producent Zeppotron, het bedrijf dat vooral bekend is vanwege interactieve televisieproducties. Via haar Britse dochter Endemol UK, neemt Endemol de resterende 75% van de aandelen in Zeppotron over van de oorspronkelijke eigenaren. Sinds de zomer van 2000 had Endemol UK al een belang van 25% in Zeppotron.
- KRO Jeugd gaat vanaf maandag 1 april de avonturen van Dick Bruna's Nijntje uitzenden.
- Omroepvereniging VARA heeft sinds het begin van deze maand een nieuwe huisstijl. Het overbekende uitroepteken dat de VARA in haar naam gebruikte sinds 1984, heeft plaatsgemaakt voor een kubus voor de naam. Daarin staat het uitroepteken echter nog wel verwerkt.
- 875.000 kijkers zien slotdebat gemeenteraadsverkiezingen. Afgelopen nacht tussen 00.20 en 01.10 uur hebben gemiddeld 875.000 mensen van 6 jaar en ouder naar het slotdebat bij de NOS op Nederland 2 gekeken. Paul Witteman ondervroeg daar de landelijke lijsttrekkers van PvdA, D66, VVD, CDA, GroenLinks en Lijst Fortuyn naar aanleiding van de uitslagen van de gemeenteraadsverkiezingen. Een getal van 875.000 is opmerkelijk hoog voor dat tijdstip van de nacht. Eveneens hoog is het marktaandeel. Ten tijde van het debat bedroeg dat 65%, wat betekent dat 65 van de 100 mensen die toen televisie keken, hadden afgestemd op Nederland 2. Het debat werd gewaardeerd met een 7,2. Het gemiddelde aantal kijkers naar de uitslagenavond bedroeg 1,3 miljoen. De piek lag tussen 22.15 en 22.30 uur toen er gemiddeld 1,6 miljoen mensen de uitslagen voor de buis volgden. De NOS-uitzending tussen 20.25 en 00.20 uur op Nederland 2 werd gewaardeerd met een 6,8. Vier jaar geleden, tijdens de uitzending rondom de gemeenteraadsverkiezingen 1998, keken gemiddeld 1 miljoen kijkers naar de uitslagenavond bij de NOS.

Alleen de direct betrokkenen worden op 7 maart wakker met het gevoel dat vanaf die dag de wereld, hún wereld, is veranderd. Vanaf vandaag moeten ze functioneren binnen een duaal stelsel. Of dat tot spannende gesprekken heeft geleid aan de ontbijttafel die ochtend, betwijfelen wij zeer. Anderen, zoals publicisten maken zich druk om andere zaken.

Conservatieve oude mannenpartij Fortuyn rukt op
7 maart 2002 door Jos van Hezewijk

Al enkele jaren wordt de sfeer in de bestuurskamers van de Nederlandse bedrijfstop verziekt door betweterige babyboomers. De laatste slachtoffers zijn topman Cees Smaling van krantenconcern PCM en Hans van der Wielen van vitamine- en babyvoedingconcern Numico. Maar nu slaan deze betweterige oude conservatieve mannen ook toe in de achterkamertjes van de Nederlandse politieke top in de persoon van Pim Fortuyn. Dit heerschap heeft een kenmerkende babyboomcarrière achter de rug van marxist tot conservatieve kapitalist, steeds als een egoïstische betweter. In de zestiger en zeventiger jaren verstoorden de betweterige babyboomers in grote kiezersgetale de welvarende rust van Nederland met jonge linkse praatjes. Zij eisten de met hard werken verdiende centjes op voor de jeugd. Inmiddels beginnen deze babyboomers grijze haren te vertonen en slaat de angst toe. Nu verstoort deze dominante groep wederom de welvarende rust van Nederland met rechtse praatjes en eisen zij de centjes wederom op voor hun eigenbelang. Hoewel Nederland in vergelijking met andere welvarende landen geen noemenswaardige problemen met allochtonen, veiligheid, zorg en werklozen kent, menen deze dominante babyboomers wederom dat ze alles beter kunnen dan de rest van de wereld. Wederom wordt deze hype volop gesteund door de infotainment van de media. Het gezapige politieke establishment durft wederom de rug niet recht te houden, durft de problemen niet te ontkennen en gaat mee in de conservatieve trend. Nog enkele decennia zullen deze dominante oude conservatieve mannen de sfeer in Nederland blijven bepalen, want de meeste babyboomers zijn momenteel pas veertig jaar oud.

MONISME & DUALISME

Monisme

Volgens het woordenboek hebben we hier te maken met een wijsgerig stelsel. Aanhangers hiervan wensen alle (natuur)verschijnselen te verklaren uit één beginsel, één oerstof. De bedenker van deze filosofie, Anaximedes uit Milete[1] leefde ongeveer 600 voor Christus.

Eeuwen later wordt het begrip opnieuw gedefinieerd door bisschop George Berkeley (1684–1753). Zijn filosofie wordt aangeduid als spiritueel monisme, de leer dat de gehele werkelijkheid van spirituele aard is. Natuurlijk roepen dit soort stevige standpunten reacties op: het materialistische monisme en dualisme. De eerste ontkent gewoon het bestaan van een spirituele realiteit. De tweede stelt dat beide er zijn.

Monisme gaat dus over één. Vertaald naar de politiek betekent dit dat er één besturend orgaan is en verder niets.

In een monistisch parlementair stelsel is er sprake van een nauwe band tussen regering en parlement(aire meerderheid). Kenmerken zijn:

- ministers zijn/blijven lid van het parlement;
- er is sprake van een zeer nauwe samenwerking, bijvoorbeeld op grondslag van een regeerakkoord, tussen regeringspartijen en regering. Dat laatste kan zich uiten in regelmatig overleg.

Naar de gemeentelijke bestuurslaag vertaald:
- de gemeenteraad bestuurt en controleert;
- het college van B&W heeft primair een uitvoerende taak;
- de wethouder is door de kiezers als raadslid gekozen;
- de wethouder wordt door de raad uit haar midden gekozen;
- de wethouder blijft deel uitmaken van zijn fractie;
- de wethouder stemt mee in de raad.

Dit stelsel heeft het lang volgehouden. De Gemeentewet van Thorbecke, waarin deze bestuursvorm geïntroduceerd werd, is in 1851 ingevoerd.

Dualisme

Dualisme is de leer van twee tegenover óf onafhankelijk naast elkaar staande beginselen. Dualistisch betekent tegenstrijdig of tweeslachtig. Descartes' dualisme bestond uit een absolute scheiding tussen lichaam en geest. In zijn beschrijving sloten beide elkaar uit. Volgens de filosoof Locke[2] staan, sterk van elkaar onderscheiden, de wereld van de geest en de wereld van de stof tegenover elkaar.

In een dualistisch parlementair stelsel is er een duidelijke scheiding tussen regering en parlementaire meerderheid. De laatste kan zich onafhankelijk opstellen tegenover de regering; verder mogen ministers geen lid zijn van het parlement.

Vertaald naar de gemeente betekent dit dat bestuur en controle strikt gescheiden zijn:
- het college van B&W bestuurt;
- de raad heeft een controlerende taak;
- de wethouder kan van buiten de raad gekozen worden;
- de wethouder maakt geen deel uit van de raad of van een fractie;
- de wethouder mag niet stemmen in de gemeenteraad.

De positie van de burgemeester staat vrijwel los van de tegenstelling monisme-dualisme. In de bestaande situatie wordt de burgemeester benoemd (en ontslagen) door de kroon. Hij was en is voorzitter van de gemeenteraad en van het college van B&W. Stemrecht heeft hij alleen in het college van B&W.

DE INTENTIES VAN DE NIEUWE WET

Op 7 maart 2002 is de Wet Dualisering Gemeentebestuur in werking getreden. Het monisme is verruild voor het dualisme. Volgens het Ministerie van Binnenlandse Zaken is de kern van die verandering de ontvlechting van de raad en het college. Er wordt een scheiding aangebracht in de samenstelling, de functies en de bevoegdheden van raad en college. De bestuursbevoegdheden komen bij het college te liggen. De raad krijgt sterkere kaderstellende en controlerende taken en er komt meer nadruk te liggen bij zijn functie als vertegenwoordiger van de burgers. Deze rolverduidelijking, zo wordt verwacht, zal positieve effecten hebben. De transparantie wordt groter en de verhoudingen duidelijker. Vitaliteit en herkenbaarheid zouden kunnen toenemen[3].

Dan vervolgt de toelichting van het Ministerie met een kleine alinea die opgevat zou kunnen worden als waarschuwing. Daarin staat onder meer: '*Alleen wijzigingen van de wet zijn onvoldoende om echte vernieuwing tot stand te brengen. Om dit te bereiken is ook een verandering van de cultuur nodig.*'

Een nieuwe wet betekent dat er iets gecorrigeerd moet worden. Of dat er een nieuw, nooit eerder voorgekomen fenomeen is ontstaan waarvoor nieuwe wetgeving gemaakt moest worden. In dit geval heeft er een correctie plaatsgevonden. Wat was er dan mis met het monistisch bestel waarin we tot die tijd hebben geleefd?

D66 is daar op haar website volstrekt duidelijk in: er was een hevig democratisch tekort op gemeentelijk niveau. In een reactie op het rapport Elzinga stelt D66 Tweede Kamerlid mw. Olga Scheltema onder meer:

———

"*D66 roept al jaren om een duidelijke scheiding tussen de bevoegdheden van het college van Burgemeester en Wethouders (B&W) en de Gemeenteraad. Een helder bestuur vraagt om duidelijk te onderscheiden bevoegdheden van deze "bestuursorganen" en om de daarbij behorende verantwoordelijkheden. Het huidige systeem geeft zowel de raad als B&W bestuursbevoegdheden, waarbij in theorie de gemeenteraad het belangrijkst is. In de praktijk blijkt dit al lang niet meer zo te zijn. De belangrijke gemeentelijke organen houden zich allen op vergelijkbare wijze met het bestuur bezig; wethouders zijn vaak de vooruitgeschoven posten van de politieke fracties. Moeilijke kwesties worden nogal eens in "achterkamertjes" tussen de wethouder en zijn of haar fractie geregeld. Voor de burgers lijkt het gemeentebestuur daardoor teveel 'een pot nat'.*"

"*In het dualistisch systeem past het aantrekken van wethouders van buiten de Gemeenteraad. Dat wil niet zeggen dat raadsleden geen wethouder mogen worden, maar dat zij - als zij wethouder worden - hun raadszetel ter beschikking stellen, net zoals ministers hun eventuele kamerzetel inleveren. In zo'n systeem past ook een rechtstreeks gekozen burgemeester, dat heeft de commissie in grote meerderheid duidelijk gemaakt. En dat is een belangrijke stap voorwaarts waar de Nederlandse burgers 150 jaar op hebben moeten wachten."*

"Dualisme moet overigens ook op andere punten nog wat verder worden doorgetrokken dan de voorstellen van de commissie Elzinga. Een gekozen burgemeester moet invloed kunnen uitoefenen op de benoeming en het ontslag van wethouders die samen met hem het bestuur vormen. Er moet niet alleen sprake zijn van voldoende vertrouwen binnen het college van B&W, maar ook van vertrouwen tussen het college en de Gemeenteraad. Bij een patstelling tussen raad en college zou wat D66 betreft niet alleen de gemeenteraad B&W mogen wegsturen, maar zou de raad ook zelf terug moeten gaan naar de kiezers, net zoals dat nu op landelijk niveau het geval is. Dat is zuivere politiek, de kiezer die de knoop doorhakt."

———

'In de loop der tijden waren de activiteiten van college en raad zeer verstrengeld geraakt'.[4] Dat vonden althans de commissie Elzinga, het kabinet en de Tweede Kamer. De direct betrokkenen met wie wij voor dit boek gesprekken hebben gevoerd waren daarover wat minder uitgesproken. Zij vonden niet dat de lokale situatie zodanig was dat dit gezien moest worden als 'belemmerend voor het functioneren van de lokale democratie'[5].

De intenties van de nieuwe wet zijn dus duidelijk. Het monisme betekende in Nederland automatisch een democratisch tekort, dat gecorrigeerd diende te worden door de implementatie van het duale stelsel. Wat was dat democratisch tekort? De raad bestuurde mee. Dat is nu dus niet meer het geval. 'De collegeleden besturen, de raad verordent, begroot en controleert.'[6]

Wat de ene hoogleraar (Elzinga) vaststelt wordt echter door de ander ontkent. Prof. Dr. Jouke de Vries, hoogleraar Bestuurskunde aan de Universiteit van Leiden, meldt: 'Van monisme is echter binnen de gemeenten al lang geen sprake meer omdat de feitelijke ontwikkelingen laten zien dat de positie van het college van B&W en het daaraan gelieerde ambtelijke apparaat steeds sterker is geworden ten koste van de positie van de gemeenteraad. Het college en de ambtenaren zijn de werkelijke machthebbers in de gemeenten.'[7]

In 1999 ontstaat er in Den Haag enige ophef rond de benoeming van mevrouw Annie Brouwer–Korf tot burgemeester van Utrecht. Dit 'gedoe', aldus toen fractieleider Thom de Graaf, gaf maar weer eens aan dat Nederland toe moest naar een gekozen burgemeester. Deze moest ook niet door de raad worden gekozen; ook dat was niet duaal.

Hoe dan ook, de verandering die de gemeenten is opgelegd, moet resulteren in een sterkere en meer levendiger lokale democratie, moet de afstand tussen burgers en bestuurders (het college) verkleinen en de betrokkenheid van burgers bij het lokale bestuur vergroten.

DE KERN VAN HET DUALE STELSEL

De kern van de dualisering is de ontvlechting van de raad en het college. Dit is gebeurd door een scheiding aan te brengen in de samenstelling, de functies en de bevoegdheden van raad en college. Een wethouder is niet meer tegelijkertijd raadslid. De bestuursbevoegdheden worden bij het college geconcentreerd. De kaderstellende en controlerende taken van de raad worden versterkt en er komt meer nadruk te liggen bij zijn vertegenwoordigende functie. De invoering van een dualistisch bestuursmodel schept, zo meent de regering, duidelijkheid over de te onderscheiden functies en de daaruit voortvloeiende rolverdeling tussen de raad en het college. Dit leidt tot een rolverduidelijking tussen de gemeentelijke bestuursorganen, die zowel extern als intern positieve effecten heeft. De transparantie wordt vergroot en de verhoudingen tussen de bestuursorganen worden verduidelijkt. De lokale democratie zal daardoor aan vitaliteit en herkenbaarheid kunnen winnen.

WAT ER AAN VOORAF GING[8]

Tot ongeveer twee eeuwen geleden bestonden er in Nederland nog geen gemeenten. Het begrip gemeente als lokale bestuurlijke eenheid, zoals we dat nu kennen, dateert uit 1798. In de Staatsregeling des Bataafschen Volks van 1 mei 1798 was voor het eerst in de Nederlandse geschiedenis sprake van gemeenten in staatsrechtelijke zin. Met deze regeling verviel het bestaande verschil tussen steden en platteland, en wel zodanig dat de steden even weinig rechten en bevoegdheden kregen als het platteland tot dan toe had.

Met de Staatsregeling van 1801 kwam er voor enige tijd verandering in de zuiver administratieve functie van gemeenten. Bij deze gelegenheid werd voor het eerst de lokale zelfstandigheid erkend: *'Ieder Gemeente heeft de vrye beschikking over deszelfs huishoudelyke belangen en bestuur, en maakt daaromtrent alle de vereischte Plaatselijke bepalingen.'*

Nadat de Bataafse Republiek werd vervangen door het Koninkrijk Holland, werd in 1807 de inrichting van gemeentelijke besturen vastgelegd. We spreken dan over de eerste Gemeentewet. Het land werd verdeeld in departementen en kwartieren, en deze weer in gemeenten.

Vanaf 1811, na de inlijving van Nederland bij Frankrijk, werd de zelfstandigheid van de gemeenten weer verkleind doordat de Franse Gemeentewet van kracht werd. Dit betekende een strenge centralisatie. In die periode werden voor het eerst bestuurseenheden aan het aantal inwoners gerelateerd; er gold een minimum van 500 inwoners. Bekeken werd of gemeenten vanwege de (te beperkte) omvang van het grondgebied, het aantal inwoners en de hoogte van hun inkomsten, met een andere gemeente samengevoegd moesten worden. In de richtlijnen voor de samenstelling van gemeenten stond wel dat men er niet naar moest streven grote gemeenten te vormen alleen ter wille van de vereenvoudiging van administratie.

Hiermee samenhangend gaf Napoleon het bevel tot kadastrale metingen, die uiteindelijk in 1832 leidden tot de eerste officiële territoriale afbakening van gemeentegrenzen op basis van het kadaster. Tot dan toe waren de grenzen vaak niet goed vastgelegd.

Na de onafhankelijkheid van Nederland in 1813 kwam de situatie van vóór 1798 weer terug, met het onderscheid tussen steden en platteland en met de aloude ambachtsheren, hun heerlijke rechten en heerlijkheden.

Met zijn grondwetsherziening van 1848 maakte Thorbecke een einde aan het teruggekeerde onderscheid tussen steden en platteland. Hij verving steden, districten en dorpen door één uniforme categorie: gemeenten. In 1851 ontwierp hij een nieuwe Gemeentewet die de samenstelling, inrichting en bevoegdheden van de gemeentebesturen regelde. Volgens Thorbecke dienden gemeenten die niet ten minste 25 kiezers op de been konden brengen te worden samengevoegd met andere gemeenten, omdat deze niet voldoende bekwame personen voor vertegenwoordiging en bestuur zouden kunnen leveren.

De volgende belangrijke periode voor de gemeentelijke herindelingen werd in gang gezet in 1966 met de Tweede Nota Ruimtelijke Ordening. Hierin werd gestreefd naar een 'aan de schaal van de ruimtelijke ordening aangepaste bestuurlijke organisatie'. Onder invloed van economische, technologische en sociaal-culturele ontwikkelingen en vooral van de versnelling van het verstedelijkingsproces van Nederland, stond de gemeente zelf niet langer in het centrum van de belangstelling. Het accent kwam sterk te liggen op ruimtelijke ordening en problematiek van grote gemeenten, (gemeentegrensoverschrijdende) stedelijke agglomeraties en gewesten.

Dit leidde in de daarop volgende periode tot een streeksgewijze aanpak van herindelingen. Begin jaren tachtig werd na veel discussie het aantal bestuurslagen ingedikt tot drie: rijk, provincies en gemeenten. Gewestvorming verviel, maar er werd wel aangedrongen op zinvolle intergemeentelijke samenwerking. Herindeling van gemeenten werd gebaseerd op het idee van versterking van de lokale bestuurslaag door schaalvergroting. In de jaren tachtig werden er vanuit dat oogpunt in heel Nederland grootscheepse gemeentelijke herindelingen uitgevoerd. Deze herindelingen en het daardoor veranderde aantal gemeenten, hadden een aantal demografische consequenties. Vele kleine gemeenten zijn samengevoegd of opgegaan in grotere gemeenten. De verdeling van gemeenten naar aantal inwoners is dan ook sterk veranderd. Uiteraard is deze verandering ten dele ook een gevolg van de groei van de bevolking zelf. Versterking van de lokale bestuurslaag door schaalvergroting is de afgelopen tweehonderd jaar een steeds belangrijker argument geworden voor gemeentelijke (her)indelingen. Kleine gemeenten worden een steeds grotere uitzondering in het bestuurlijke landschap.

"Politiek was in Nederland wel een erg ondoorzichtig bedrijf geworden. Zo werd de manier waarop meestal kabinetten tot stand plachten te komen, terecht als oncontroleerbaar geknutsel van enkelingen gezien. De vrijblijvende opstelling van partijen vóór verkiezingen kwam neer op de afdracht door de kiezer van zijn stem, zonder controle op het gebruik daarvan. De veelheid van partijen belemmerde eens te meer het zicht van de kiezer op een duidelijke beleidskeuze."[9] Aldus Joop den Uyl. Hij verwoordde de ontstane onvrede over het bestaande politieke stelsel. Daarvoor waren er drie kabinetten geweest van verschillende politieke samenstelling op basis van één en dezelfde verkiezing. Ook de roep om echte democratie vanuit de jaren zestig galmde nog luid na. Provo ontstond en het Maagdenhuis werd bezet. De buitenparlementaire actie was geboren en won snel aan populariteit. De manier waarop kabinetten tot stand kwamen en komen was en is nog steeds een onnavolgbaar geknutsel van enkelingen met een uitkomst waarvan de kiezer niet vermag in te zien wat de relatie is met zijn of haar uitgebrachte stem. De opstelling van politieke partijen lijkt vrijblijvender dan ooit.

Elzinga zelf constateert dat de betrokkenheid van de burger bij de lokale politiek (te) gering is. Is deze vroeger groter geweest? Als we een beeld hebben van de monistische politiek die je kunt verpakken in termen als ritselen, recht praten wat krom is, het dienen van eigenbelang, risicomijdend, regeldrift en dergelijke, wordt dat nu dan beter? Gaat dat nu veranderen? Gaat de gewone burger zich nu actief met de problemen bemoeien en de zaken rechtzetten?

2

Wat mogen we verwachten van een gemeentebestuur?

2.1 Hoe zat het ook al weer?

Op 7 maart 2002 werd in Nederland de Wet Dualisering Gemeentebestuur van kracht. Een wet met grote implicaties voor 483 Nederlandse gemeenten. Natuurlijk bestaat de kans dat u al volledig op de hoogte bent van alle veranderingen die deze wet met zich mee heeft gebracht. Misschien omdat u zelf betrokken bent bij de politiek, of wellicht zelfs omdat u bij de exclusieve minderheid hoort die nog werkelijk geïnteresseerd is in lokale politiek. Hoe dan ook, voor ons en veel mensen in onze omgeving was het duale stelsel tot voor kort een onbekend terrein. Om een gezamenlijk vertrekpunt te creëren voor het vervolg van dit boek frissen we daarom in dit hoofdstuk nog even de kennis op over hoe een gemeentebestuur nu feitelijk werkt onder het duale stelsel. Maar vooral stellen we de vraag: wat mogen we verwachten van het gemeentebestuur, of beter nog: waar kunnen we het gemeentebestuur onder het duale systeem op *aanspreken*. We zijn immers op vele gebieden afhankelijk van de gemeente. Voor welke taken en verplichtingen worden de gemeentebestuurders betaald en welke rechten hebben wij daarbij als burgers.

2.2 Taken gemeentebestuur

Het bestuur van een gemeente bestaat uit drie delen, elk met eigen taken en verantwoordelijkheden:
- de gemeenteraad
- het college van burgemeester en wethouders
- de burgemeester.

De gemeenteraad

Hoofdtaken

De gemeenteraad heeft drie hoofdtaken:

- volksvertegenwoordiger
  De raad is het hoogste bestuursorgaan van de gemeente en is een afvaardiging van de plaatselijke bevolking. De leden van de gemeenteraad worden eens in de vier jaar gekozen door de inwoners van de gemeente. De raad oefent politieke invloed uit op het uitvoerende bestuur van het college.

- kadersteller (verordenende bevoegdheden en budgetbevoegdheden)
  De raad stelt beleidskaders vast voor het college. Dit betekent dat de raad van tevoren vaststelt wat de doelstellingen en de gewenste maatschappelijke effecten moeten zijn van het gevoerde beleid. Het college zorgt voor de uitvoering van het beleid binnen deze kaders.
  Een gemeenteraad heeft een aantal instrumenten om deze taak te vervullen. Regelgeving is daarvan de belangrijkste: de gemeenteraad stelt verordeningen vast. Elke gemeente heeft de mogelijkheid om - binnen de kaders van de nationale wetgeving - eigen regels te maken. Zo'n verzameling van regels op één gebied heet een verordening. De gemeentelijke 'wetgeving' strekt zich uit over alle terreinen van gemeentelijk beleid.
  Daarnaast heeft de gemeenteraad budgetrecht. De raad oefent dit budgetrecht uit door de programmabegroting vast te stellen. Dat wil zeggen dat de raad bepaalt aan welke politieke programmapunten geld besteed wordt en hoeveel. Het budgetrecht is van groot belang, omdat in een begroting de ruimte voor de gewenste beleidsinitiatieven gevonden moet worden.

- controleur
  De raad kan het college ter verantwoording roepen. Zij kan vragen om inzage in lopende zaken en om een toelichting op de beleidsresultaten. Wanneer de raad niet tevreden is met die resultaten, probeert zij het college bij te sturen. In het uiterste geval kan zij het vertrouwen opzeggen in het college, of in leden daarvan.
  De Wet Dualisering Gemeentebestuur heeft de raad twee belangrijke nieuwe bevoegdheden gegeven. Ten eerste heeft elk raadslid recht op ambtelijke bijstand. Ten tweede heeft de raad het recht van onderzoek naar het beleid van het college van burgemeester en wethouders. Dit is vergelijkbaar met het enquêterecht van de Tweede Kamer. Tevens zijn de al bestaande rechten van initiatief, amendement en interpellatie wettelijk verankerd. Elk raadslid heeft het recht van initiatief [1] en van amendement[2]. Daarnaast kunnen raadsleden moties[3] indienen.

De raadsgriffier

De griffier staat de raad en de raadscommissies terzijde bij de uitoefening van hun taak. Verder is de griffier aanwezig in de raadsvergaderingen en bij het medeondertekenen van raadsstukken. De griffier vervult dus de functie van secretaris tijdens de raadsvergaderingen. Verder kan de raad zelf de precieze taken en werkzaamheden van de griffier bepalen. Deze kunnen variëren van administratieve en procesmatige tot inhoudelijke ondersteuning van de raad. Een gemeenteraad kan ervoor kiezen de griffier aan te vullen met een griffie. De griffie verzorgt de meer algemene ondersteuning van de raad en de raadsleden. Hieronder valt ook informatievoorziening. Een griffie kan commissiegriffiers leveren. Ook een communicatieadviseur kan deel uit maken van de griffie. Voorheen leverde de 'reguliere' ambtelijke organisatie deze ondersteuning.

Het instellen van de griffie betekent overigens niet dat de raad de diensten van de reguliere organisatie niet meer gebruikt. Vooral bij technische en inhoudelijke ondersteuning, zoals het opstellen van initiatiefvoorstellen en amendementen, speelt de reguliere ambtelijke organisatie een grote rol.[4]

Presidium

Een agendacommissie of presidium stelt in de meeste gemeenten de agenda's vast van raads- en commissievergaderingen. In de agendacommissie zitten meestal de fractievoorzitters of commissievoorzitters. Vaak is ook de burgemeester lid, al heeft hij niet altijd stemrecht. Ter ondersteuning horen meestal de griffier en soms ook de gemeentesecretaris bij de commissie.

Autonome bevoegdheden

Hoewel het college verantwoordelijk is voor de uitvoering van het beleid, heeft de raad volgens de huidige wetgeving nog enkele zogeheten autonome bestuursbevoegdheden. Dit is de bevoegdheid om besluiten te nemen over zaken die in de wet niet expliciet zijn toegewezen aan een gemeentelijk bestuursorgaan (raad of college) of een ander overheidsorgaan (zoals rijks- of provincieorganen). Het stellen van verordeningen valt niet onder de autonome bestuursbevoegdheid. Deze zijn in principe altijd bevoegdheden van de raad. Voorbeelden van het gebruik van de autonome bestuursbevoegdheid zijn onder meer de bouw van een nieuw gemeentelijk zwembad, straatnaamgeving en huisnummering, het aangaan van banden met buitenlandse gemeenten en het vaststellen van subsidies aan kunstenaars en culturele instellingen. Het komt regelmatig voor dat de raad specifieke autonome bestuursbevoegdheden delegeert aan het college, bijvoorbeeld in het geval van subsidieverlening.

Het college van B&W

Het college van burgemeester en wethouders vormt het dagelijks bestuur van de gemeente. De wethouders zijn door de gemeenteraad gekozen. In tegenstelling tot de 'oude' situatie hoeft de raad zich bij die keuze niet te beperken tot de eigen leden. Ook externe personen, zelfs van buiten de gemeentegrenzen, kunnen tot wethouder benoemd worden. Wethouders maken in de huidige situatie geen deel uit van de gemeenteraad. In het college heeft elke wethouder zijn eigen taakgebied of portefeuille. Iedere wethouder behartigt de belangen van zijn taakgebied. Het college doet voorstellen aan de raad en neemt besluiten over het dagelijkse reilen en zeilen in een gemeente. Zo beslist het college bijvoorbeeld over bouwvergunningen, bijstandsaanvragen en aanvragen voor ventvergunningen. Ook is het college onder meer verantwoordelijk voor wegen, openbaar groen, gemeentelijke gebouwen, havens, onderwijs, milieu, volkshuisvesting, ruimtelijke ordening, personeel en rechtsbescherming. De ene keer beslist het college zelfstandig, de andere keer in nauwe samenspraak met de gemeenteraad. Voor het gevoerde dagelijks bestuur is het college politiek verantwoording verschuldigd aan de gemeenteraad.

De Wet Dualisering Gemeentebestuur heeft het takenpakket van de wethouder veranderd. De meeste in de Gemeentewet geregelde bestuursbevoegdheden zijn overgegaan van de gemeenteraad naar het college. Dit geldt bijvoorbeeld voor de bevoegdheid ambtenaren te benoemen en te ontslaan, en de bevoegdheid om privaatrechtelijke rechtshandelingen te verrichten. Om de controle van de raad op het college te bevorderen is onder meer de actieve informatieplicht ingevoerd. Wethouders zijn verplicht raadsleden actief te informeren.

Gemeentesecretaris

De gemeentesecretaris is het hoofd van de gemeentelijke organisatie. Hij is aanwezig bij vergaderingen van het college van burgemeester en wethouders en tekent alle besluiten.

Hij zorgt er voor dat de besluiten van het college door de medewerkers worden uitgevoerd. Daarnaast treedt hij op als belangenbehartiger van de medewerkers.

De burgemeester

De burgemeester is de voorzitter van de gemeenteraad en van het college van burgemeester en wethouders. De burgemeester wordt (nog) niet gekozen, maar benoemd door de Kroon (op voordracht van de Commissaris van de Koningin) voor een periode van zes jaar. Voor veel mensen is de burgemeester het gezicht van de gemeente.

Binnen het gemeentebestuur is de burgemeester de centrale figuur. Hij ziet toe op de tijdige voorbereiding, vaststelling en uitvoering van het gemeentelijke beleid. Verder is hij de kwaliteitsbewaker over procedures en de eenheid van het beleid. De burgemeester kan in het college zelf onderwerpen op de agenda zetten en eigen voorstellen in het college bespreken. Stukken die van het college uitgaan worden in principe door de burgemeester ondertekend. Verder ziet de burgemeester toe op een goede samenwerking met andere gemeenten en overheden.

De burgemeester heeft ook eigen inhoudelijke taken, met name op het terrein van openbare orde en veiligheid. Hij heeft hiervoor een aantal speciale bevoegdheden, die het hem mogelijk maken om op te treden tegen zaken als overlast, ordeverstoringen en dreigend gevaar. Om zijn taken op het gebied van openbare orde en hulpverlening goed te kunnen vervullen heeft de burgemeester het gezag over de politie en is hij lid van het bestuur van de regionale brandweer en van de politieregio. Daarnaast heeft hij taken en bevoegdheden met betrekking tot het beheer van het regiokorps.

De Wet Dualisering Gemeentebestuur heeft ook in de positie en taken van de burgemeester een aantal wijzigingen aangebracht. Binnen het college is de positie van de burgemeester versterkt, onder andere door invoering van het agendarecht. Ook dient de burgemeester jaarlijks een burgerjaarverslag uit te brengen. Dit gebeurt tegelijk met het gemeentelijk jaarverslag. De burgemeester bepaalt zelf de inhoud en vorm van het burgerjaarverslag. Tevens heeft de burgemeester een zorgplicht ten aanzien van procedures op het gebied van burgerparticipatie en de behandeling van bezwaarschriften en klachten.

Tot zover het formele deel. Maar wat betekent dit alles in de praktijk van alledag?

2.3 AFHANKELIJKHEID

Wij, de burgers, zijn op veel terreinen afhankelijk van de gemeentelijke overheid. De gemeente haalt ons huisvuil op, onderhoudt het openbaar groen, zorgt voor openbare orde en veiligheid, bouwt scholen en culturele instellingen, verstrekt paspoorten en rijbewijzen en heeft vele andere taken. Voor al deze diensten of producten zijn er geen andere leveranciers. Er bestaat een verplichte, onontkoombare relatie tussen de burger en de gemeente waarin hij of zij woont.
Om al deze diensten en producten te kunnen leveren heeft de gemeente geld nodig. Dit geld ontvangt zij direct of indirect uit betaalde belastingen. Er zijn dus goede redenen waarom burgers kritisch (mogen) zijn op datgene wat de gemeente voor haar doet.

- Er bestaat een verplichte winkelnering. Naar de burger toe heeft de gemeente dus een monopoliepositie. Dit betekent dat er vanuit de markt geen prikkel bestaat om optimale kwaliteit te leveren tegen zo laag mogelijke kosten.

We mogen ons dus afvragen of we waar krijgen voor ons geld.

- Wij betalen de gemeente direct of indirect via belastingen. We mogen dus terecht de vraag stellen of het door ons gefourneerde geld 'goed' en aan de juiste zaken wordt besteed.

Keuzeruimte

Als klant (van de overheid) zijn wij de laatste jaren veel kritischer geworden. We nemen niet alles meer voor zoete koek aan. Bovendien willen we meer als individu behandeld worden; de 'one-size-fits-all' periode ligt achter ons. Mede daardoor wordt het voor de gemeente niet eenvoudiger om ons allemaal tevreden te stellen. Er moeten prioriteiten gesteld worden. Maar waar leg je die? Terwijl de één het prima vindt om vijf dagen op een nieuw paspoort te wachten, wil de ander het document direct mee kunnen nemen. Waar sommigen roepen om meer cultuur, vinden anderen dat er 'al veel te veel geld aan die onzin wordt weggegooid'. Is zes weken wachten op een bouwvergunning lang? Is jaarlijks onderhoud van wegen echt noodzakelijk? Het gemeentebestuur formuleert het antwoord op die vragen. De keuzeruimte die daarbij aanwezig is wordt, zoals in figuur 1 uitgebeeld, bepaald door verscheidene factoren.

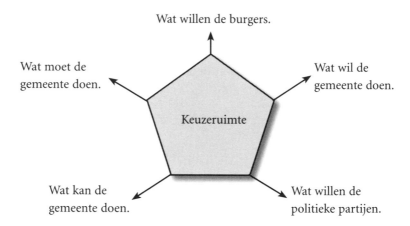

Figuur 2.1 De keuzeruimte van het gemeentebestuur

De keuze van de burgers

De raad, het college en de burgemeester moeten dus constant keuzes maken. Als het goed is, ligt de mening van de burgers aan de basis van die keuzes. Zij maken immers de éérste keuze: op grond van de verkiezingsprogramma's kiezen zij de leden van de gemeenteraad.

De partijen die na de verkiezing in de raad vertegenwoordigd zijn, geven vervolgens op hoofdlijnen aan welke kant het op moet met de gemeente, welke prioriteiten zij stellen en waar de financiële krijtlijnen zijn getrokken.

Het college vertaalt een en ander ten slotte naar de dagelijkse praktijk en laat het uitvoeren.

Politieke interesse

Wat elke partij wil, is voor de belangstellende burger gemakkelijk te achterhalen. Maar hoeveel mensen lezen de verkiezingsprogramma's nog door? Het is de vraag of we (nog) werkelijk geïnteresseerd zijn in het maken van die eerste keuze. De Rijksoverheid vindt in ieder geval van niet. Dit heeft geleid tot de Commissie Elzinga. Eén van de resultaten, na implementatie van alle aanbevelingen, zou dan moeten zijn dat we weer massaal gaan stemmen, omdat we ons vertegenwoordigd weten of vertegenwoordigd willen zijn.

Overzicht: lokaal groot

De lokale partijen hebben bij de gemeenteraadsverkiezingen woensdag de grootste winst geboekt. Ze hebben 26,9 procent van alle uitgebrachte stemmen gekregen, 8,5 procent meer dan vier jaar geleden.

De plaatselijke partijen winnen 580 zetels en komen op 2513 gemeente-raadsleden. De Leefbaar-partijen waren goed voor circa de helft van die winst: ze groeien met 250 naar 332 raadsleden. Landelijk was de PvdA de grootste verliezer met 2,7 procent minder stemmen. Een op de zeven PvdA-raadsleden moet stoppen, ofwel 231 van de 1684 raadsleden voor deze partij.

De andere paarse partijen VVD en D66 verloren eveneens: respectievelijk 2,3 en 0,6 procent, wat uitwerkt in 158 en 54 zetels minder. Het CDA groeit met 0,6 procent tot 21 procent en wordt daarmee na de lokale partijen de grootste partij in de gemeenteraden.

Opkomst lager dan ooit

Niet meer, maar juist het minste aantal mensen in de geschiedenis heeft woensdag de gang naar de stembus gemaakt voor de gemeenteraads-verkiezingen. De opkomst bedroeg 57,7 procent. Het vorige laagterecord dateert van vier jaar geleden en bedroeg 58,9 procent. De opkomst leek volgens prognoses van bureau Interview-NSS juist hoger uit te vallen. Een half uur na het sluiten van de stembussen was het percentage 61.

Op Ameland brachten bijna alle stemgerechtigden hun stem uit: 88,4 procent. De inwoners van 's-Gravenhage zijn verantwoordelijk voor het landelijke dieptepunt van 44,2 procent. Premier Kok maakt zich grote zorgen over de opkomst voor de Kamerverkiezingen."Die wordt op zijn best net zo hoog als vier jaar geleden, ondanks de vele aandacht in de media lokaal en landelijk. Dat zegt veel", aldus Kok woensdagavond in Heerenveen.

Samenvattend

Burgers/betalers hebben recht op inzicht in hoe en waaraan het geld wordt besteed en wat daarvan de resultaten zijn. Op basis daarvan kunnen zij vaststellen of zij zich goed vertegenwoordigt weten. Met andere woorden, gaat het die kant op die zij met het uitbrengen van hun stem hebben bedoeld. En als dat niet zo is, willen zij de vraag beantwoord zien, 'waarom niet?'.

2.4 Prestaties leveren en beoordelen

Als de gemeente iets doet of nalaat heeft dat voor veel burgers directe gevolgen. Beslissingen van een gemeentebestuur leveren daarom nogal eens sterke emotionele reacties op. Sterker dan bijvoorbeeld beslissingen van de rijksoverheid of de provincie. Denk maar aan besluiten over een locatie voor een asielzoekerscentrum, een hangplek voor jongeren, of de invoering van het betalen-per-kilo bij huisvuilinzameling. De gemeentelijke taken, verantwoordelijkheden en voorzieningen zijn zeer nauw verweven met het dagelijks leven van de burger. Bibliotheken of cultuurcentra zijn voor veel mensen min of meer vanzelfsprekende voorzieningen. Specifieke groepen als lichamelijk gehandicapten verwachten aanpassingen van de gemeente, zoals goed toegankelijke openbare gebouwen en opritten van trottoirs. Ook gemeentelijke taken als openbare orde en openbare hygiëne zijn voor veel mensen erg belangrijk. De ergernis top 5 van burgers betreft dan ook voornamelijk zaken waar de gemeente wat aan kan doen[5].

In grote gemeenten hebben de bewoners het over:
1 Rommel op straat (41%)
2 Hondenpoep (33%)
3 Parkeerproblematiek (31%)
4 Overlast jongeren (29%)
5 Vandalisme (24%)

In kleine gemeenten ziet de top 5 er als volgt uit:
1 Parkeerproblematiek (43%)
2 Hondenpoep (41%)
3 Verkeersveiligheid (31%)
4 Rommel op straat (22%)
5 Vervuiling parken en plantsoenen (22%)

Prestatie 1: vertegenwoordigen

Verschillende gemeentelijke voorzieningen vallen niet onder de wetten van het bedrijfsleven met betrekking tot winst of verlies of return on investment. Sommige voorzieningen moeten er gewoon zijn. Het opleggen van bedrijfsmatige criteria aan gemeentes is dan ook onzin. Maar dat wil niet zeggen dat er geen eisen gesteld kunnen worden aan de prestaties van de lokale overheid. Hiervoor is al opgemerkt dat de druk om te presteren bij gemeenten minder is dan in het bedrijfsleven, vanwege het ontbreken van concurrentie. De enige druk die er is, zijn de verwachtingen van de eigen inwoners. Cruciaal is dus dat de raad weet wat de verwachtingen zijn van de mensen die zij vertegenwoordigen. Zij moeten daarover met hen in gesprek zijn en blijven, en deze verwachtingen uitdrukken in de opdrachten die zij het college geven.

We raken hier aan de eerste en moeilijkste prestatie van de gemeente:

Het vertegenwoordigen van de burgers

Mensen willen zich vertegenwoordigd weten. De kloof tussen burger en politiek waarvan velen - met name politici - de mond vol hebben, heeft als oorzaak dat grote groepen burgers zich niet meer herkennen in welk debat dan ook. Gemeentes hebben het hierbij in principe gemakkelijker dan de Rijksoverheid. Gemeentes staan het dichtst bij deze burgers en zouden in staat moeten zijn tot het dichten van deze kloof.

Over de vertegenwoordigende functie van politici en de mogelijkheden om deze functie te verbeteren is in de loop der jaren al veel gezegd:

―――

"Dat betekent op de kandidatenlijsten van de politieke partijen veel minder degelijke middenvelders en veel meer eigenzinnige buitenspelers. Dat alles om te laten zien dat er gekozen wordt en er te kiezen valt. Veranderingen in het kiesstelsel, zoals meerdaagse verkiezingen, schriftelijk stemmen en een meerstemmig kiesstelsel, moeten eens in de vier jaar de drempel verlagen en het gemak verhogen om naar de stembus te gaan. Want een verder afbrokkelen van de legitimatiebasis van de representatieve democratie kunnen we niet hebben, alleen daar kan immers de exclusieve taak neergelegd worden om te bepalen of en met welke normen overheidsoptreden plaatsvindt. Volksvertegenwoordigers aller landen verenigt u."
(Dr. H. Bleker, (CDA) Lid College GS Groningen en voorzitter IPO-Commissie Vernieuwingsimpuls Provinciale Democratie)

―――

"Steeds meer klinkt het verwijt van een in zichzelf gekeerde oligarchie van vertegenwoordigers en bestuurders. Wat kan dat 'representeren' in deze tijd nog inhouden? Ook een volksvertegenwoordiging moet 'rust, richting, resultaat en rekenschap bieden."
(Paul Schnabel, directeur Sociaal Cultureel Planbureau)

―――

"Hoe komt het toch dat we vooral een beeld hebben van ritselen, recht praten, risico mijden en regeldrift? Een volksvertegenwoordiging welke niet bereid is periodiek haar wijze van representatie te herzien, is helemaal geen volksvertegenwoordiging."
(Guido Enthoven, directeur van het Instituut voor Maatschappelijke Innovatie)

Transparantie

Gemeentes moeten op zoek naar vormen van discussie en besluitvorming waarin de burger zichzelf herkent. De burger moet snappen waarom een bepaald besluit is genomen. Het moet hem of haar duidelijk zijn dat zijn mening in de discussie een rol heeft gespeeld. Een onderdeel van deze procedure hoort naar onze mening te zijn dat de gemeente ook een reactie van de burgers vraagt als een besluit tot uitvoering komt. Gemeentes moeten deze feedback zelf organiseren. Niet alleen voor de bühne, maar met de bereidheid om eventueel tot bijstelling over te gaan. Met andere woorden: de primair te leveren prestatie van de gemeente, het vertegenwoordigen van de burger, heeft alles met transparantie te maken. Je mag verwachten dat als burgers ervan overtuigd zijn dat hun mening, dus hun stem, er toe doet, de opkomst bij verkiezingen omhoog gaat. Dat deze opkomst laag is en een dalende trend laat zien heeft niet te maken met het feit dat burgers tevreden zijn - zoals Frits Bolkestein opperde. Als dat het geval zou zijn, zouden de burgers in de oude wijken in de grote steden de meest tevreden kiezers van Nederland zijn. Wij wagen dit te betwijfelen.

Dubbele rol

Het vertegenwoordigen van de burger valt in twee delen uiteen. In de eerste plaats is er de burger-kiezer. Deze wenst een herkenbare en aanspreekbare organisatie, die luistert, serieus neemt en reactie vraagt. Ten tweede is er de burger-klant. Deze verwacht een aanbod, afgestemd op zijn behoefte aan breedte en kwaliteit. Van de gemeente waarvan hij
(verplicht) klant is verwacht de burger-klant een klant- en servicegerichte opstelling, flexibel maar ook rationeel.

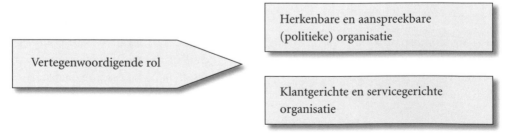

Figuur 2.2 De vertegenwoordigende rol van het gemeentebestuur

Het dualiteitenkabinet

Prestatie 2: besturen

Een tweede prestatie die de gemeente moet leveren is:

Het besturen van de stad of het dorp

Besturen betekent in dit geval:
- leiding geven aan alle uit te voeren activiteiten (going concern) inclusief het handhaven van afgesproken regels;
- het dorp of de stad in een bepaalde richting doen gaan (de ontwikkeltaak). Ook hierin dient de burger zich te kunnen herkennen.

Leiding geven aan activiteiten betekent ook: staan voor de resultaten, verantwoording afleggen, bijsturen, openstaan voor kritiek en (pro-actief) reacties vragen van de burgers. Dit geldt ook voor de kosten die gemaakt worden om deze activiteiten uit te voeren.

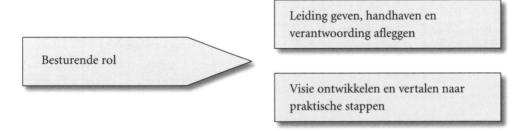

Figuur 2.3 *De besturende rol van het gemeentebestuur*

De ontwikkeling van een dorp of stad, is een zaak die de burger direct raakt en zeer waarschijnlijk ook interesseert. Denk hierbij aan besluiten over vernieuwing van een wijk, het ontwikkelen van een winkelcentrum of nieuwe woonwijk, of het instandhouden van een dorpskern.

Maar ook bij de besturende rol is het moeilijk voorspelbaar of de burger warmloopt voor bepaalde activiteiten. Zo is veiligheid een hot issue op dit moment. Daarbij gaat het over een breed scala aan onderwerpen, van de mogelijke dreiging van terroristische aanslagen tot een veilig uitgaansgebied en veilig verkeer. Als de roep om meer politie op straat resulteert in het oppakken van agressieve jongeren vindt iedereen dat prima. Maar als diezelfde politie veelvuldig 30-kilometer zones controleert met een lasergun, loopt het enthousiasme snel terug. 'Ga toch boeven vangen man', is dan de opmerking of gedachte van menig bekeurde.

2.5 DE INTERACTIECIRKEL

Het college van B&W en de raad moeten ons, de kiezers, vertegenwoordigen en besturen. Dit betekent dat we ons vertegenwoordigd moeten weten: onze mening en ons standpunt moet doorklinken én de keuzes die bestuurders maken moeten voor een fors deel dezelfde zijn als die hun kiezers gemaakt zouden hebben.

Het zou daarom aardig zijn als er momenten gecreëerd worden waarop deze toetsing tot stand komt. Dat zou bijvoorbeeld als volgt kunnen.

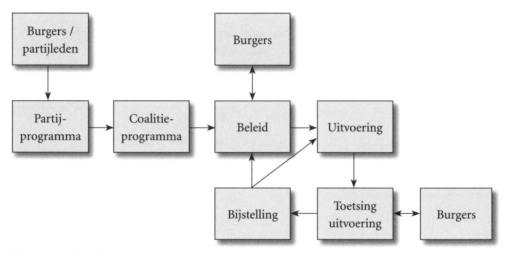

Figuur 2.4 Toetsingsmomenten

Instrumenten van interactie

Met name vanuit de vertegenwoordigende rol, maar ook als bestuurders, dient het gemeentebestuur de burger actief op te zoeken. Het verdient de voorkeur om daar structuur in aan te brengen. Dat wil zeggen op gezette tijden de gelegenheid bieden tot bijpraten én - in geval van voorgenomen belangrijke besluiten - vroegtijdig in overleg met burgers treden.

―――

"Het betrekken en betrokken houden van de burger bij het lokaal bestuur kan alleen vorm krijgen door een constante vernieuwing. De vernieuwing kun je niet opleggen, die moet uit de gemeenten zelf naar boven komen. (…) De bevolking van deze eeuw verdient immers een herkenbaar bestuur. Burgers willen weten wie waarvoor verantwoordelijk is."

(Minister Klaas de Vries, 6 april 2001, Landelijke conferentie Project Duale Gemeenten)

―――

Het dualiteitenkabinet

Vanuit de Vernieuwingsimpuls zijn handreikingen gedaan om de burgerparticipatie meer handen en voeten te geven.[6]

Verantwoording afleggen (1) en feedback vragen (2) zijn ons inziens dé instrumenten om burgers te betrekken en betrokken te houden bij het lokale bestuur. Daarnaast bestaat de mogelijkheid voor burgers om zelf een onderwerp op de agenda geplaatst te krijgen (3).

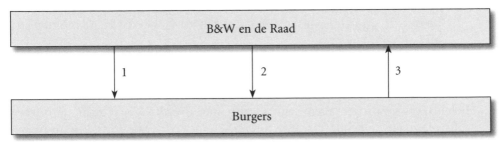

Figuur 2.5 Interactie-instrumenten

Communicatie of interactie tussen het gemeentebestuur en de burger moet aan een aantal eisen voldoen om kans te kunnen maken op een positieve bijdrage aan de onderlinge relatie.

Eis 1: eerlijkheid

"De zekerheid van ellende is beter dan de ellende van de onzekerheid."
(Pogo, Amerikaans stripfiguur)

Een bestuur moet het vertrouwen verdienen. Dat kan maar op één manier: eerlijkheid. Dit betekent dat alle informatie die naar de burger toe gaat betrouwbaar moet zijn.
Dat wil zeggen *juist, volledig, tijdig* en *controleerbaar.* Wordt hiermee een loopje genomen, dan zijn de gevolgen ernstig. Onbetrouwbare informatie heeft direct gevolgen voor de normativiteit. Met het opzij zetten van de normen vervalt tegelijkertijd het gezag. De vertrouwensrelatie die er was of behoort te zijn, verdwijnt.

- *Juist*: De gepresenteerde gegevens kloppen met de werkelijkheid.
- *Volledig*: Niets is achtergehouden. Alles wat bekend is wordt naar voren gebracht.
- *Tijdig*: Informatie is alleen bruikbaar als het tijdig beschikbaar is. Aan mosterd na de maaltijd heeft niemand iets.
- *Controleerbaar*: Ontvangers van informatie moeten, als het nodig is, vast kunnen (laten) stellen, aan de hand van brondocumenten, dat de verstrekte gegevens juist en volledig zijn en op een bepaald moment wel of niet aanwezig

Eis 2: overdraagbaarheid

Beleidsnota's van tientallen pagina's zijn niet overdraagbaar naar de burger, zelfs niet naar de geïnteresseerde burger. Het vereist vaak grote inspanningen om complexe besluitvorming, bijvoorbeeld de vijfde baan van Schiphol, compact, begrijpelijk en dus overdraagbaar te maken. In de praktijk betekent dit dat verschillende manieren van communiceren aanvullend aan elkaar gebruikt zullen worden. Uitgewerkt op papier, een mondelinge toelichting en discussie, achtergrondinformatie via het internet en dergelijke.

Communicatie verschilt per onderwerp en per fase waarin men zich bevindt. Zogenaamd 'gevoelige onderwerpen' vragen om meer nauwkeurigheid dan andere. Het voornemen om een nieuwe woonwijk te ontwikkelen vraagt een andere vorm van communicatie dan het bespreken van een tekort bij de bouw van het zwembad. Maar altijd gaat het om informatieoverdracht. Communicatie heeft een brugfunctie. Het gaat erom onderwerpen gemeenschappelijk te maken.

Horen en luisteren

Communiceren is niet gemakkelijk. Iedere bestuurder heeft dit al lang aan den lijve ondervonden. Vooroordelen beperken het luistervermogen. Informatie wordt door iedereen selectief verzameld, verwerkt en onthouden. Op het moment van schrijven is net de grote demonstratie van de gezamenlijke vakbonden op het Museumplein in Amsterdam achter de rug (2 oktober 2004). In alle discussie daaromheen ontstaat het beeld dat betrokken partijen niet eens meer horen wat de ander zegt. Alle stereotypen over 'hullie en zullie' worden breed uitgemeten in de media, met als actueel resultaat het ontbreken van iedere vorm van communicatie.

In mijn eigen dorp (Zuidlaren) speelt zich iets dergelijks af. Het gemeentebestuur wenst een woonwijk 'te voltooien'. Dit wil zeggen dat er op twee terreinen (braakliggend volgens de gemeente, natuurgebied volgens de tegenstanders)

250 woningen gebouwd moeten worden. Uit de vlugschriften die rondgedeeld worden is één ding duidelijk: wat de gemeente ook zegt, welke argumenten ook aangedragen worden, het klopt niet. Men is doof voor ieder argument pro. Men luistert alleen naar die argumenten die de eigen doelstelling (voorkomen van nieuwbouw) ondersteunen.

'Goede communicatie (dus eerlijk en overdraagbaar, toevoeging auteurs) *is van wezenlijk belang voor iedereen die in een samenleving met anderen wil functioneren. Dat geldt temeer voor het politieke systeem, waar op bindende wijze waarden of doelen voor de samenleving worden verdeeld.'*[7]

Belangrijke vraag is natuurlijk of het duale systeem een boost heeft gegeven richting een (meer) vertegenwoordigende en besturende gemeente.

2.6 DE VIERDE MACHT

Naast de drie 'klassieke' machten, wetgevend, uitvoerend en rechterlijk, is er een vierde ontstaan[8]: het ambtelijke apparaat. De laatste decennia hebben bestuurders meer en complexere taken gekregen. Als gevolg daarvan zijn steeds meer bevoegdheden gedelegeerd naar ambtenaren. Dit heeft niet alleen geresulteerd in een gestaag in omvang toenemend ambtenarenkorps, maar ook de kennis bij ambtenaren is toegenomen. Vaak zijn ambtenaren op een bepaald gebied deskundiger dan de bestuurder. Daarmee is het ambtelijk apparaat een machtsfactor van betekenis geworden.

Op gemeentelijk niveau hebben ambtenaren vaak meer kennis en informatie dan bestuurders en burgers. Daar komt bij dat zij een brede achterban hebben via diverse overleg- en adviesorganen. Bovendien zijn het de ambtenaren die in direct contact staan met de burgers. De invloed, cq. macht, van het ambtelijk apparaat binnen de gemeente is dan ook groot. De wethouders zijn verantwoordelijk voor het ambtelijk handelen en moeten daarover verantwoording afleggen aan de raad. Deze verantwoordelijkheid is geen sinecure. Het is voor een bestuurder schier onmogelijk om op de hoogte te zijn van alles wat zich binnen 'zijn' deel van het apparaat afspeelt. En dat hoeft ook niet. Bestuurders mogen rekenen op de loyaliteit van hun ambtenaren. Verder hebben ambtenaren een zekere mate van beleidsvrijheid. Niet alles is in detail binnen wet- en regelgeving vast te leggen.

Het is juist deze 'vrijheid' waartegen burgers regelmatig ten strijde trekken. De vermeende ondoorzichtigheid van de toekenning van een bouwvergunning of toewijzing van een bouwkavel zet soms kwaad bloed. Juist hier komt de macht van ambtenaren, in de ogen van de burgers, tevoorschijn. Hoe verhouden deze ambtelijke macht en de gewenste publieke verantwoording zich tot elkaar?

En hoe moeten we omgaan met deze vierde macht in het licht van een goed bestuur?

Op weg naar horizontale verantwoording

De vierde macht roept over het algemeen een negatief gevoel op. We vinden het niet gewenst, het is onfris en niet controleerbaar. Het zou er eigenlijk niet moeten zijn. Het ís er echter wel. *'De vierde macht leeft en is actiever dan ooit.'*[9] Eerder spraken we over de beleidsvrijheid van ambtenaren, die ons inziens onvermijdelijk is. Ook onvermijdelijk is de conclusie dat de bestuurder aan de top niet alles kán weten inzake het doen en laten van zijn ambtenaren. Zou het dan niet logisch zijn dat een ambtenaar zelf verantwoording moet afleggen voor zijn besluiten en daden? Er zijn al ontwikkelingen die deze kant op gaan. Zo kan een Rekenkamercommissie een ambtenaar rechtstreeks vragen te getuigen, dus buiten de wethouder om. Ook de raad of een raadscommissie kan rechtstreeks informatie vragen van een (top)ambtenaar. Het verticale model (alles via de hoogste bestuurder) kantelt dus. Hiermee is - al in het 'oude' monistisch tijdperk - een weg geopend naar meer horizontale verantwoording. De pers, de mogelijkheden van de ICT, de Wet Openbaarheid van Bestuur en instellingen als de Stichting Rekenschap, helpen daar heftig bij. En dat is nodig. *'If angels were to govern men, neither internal nor external controls on government would be necessary.'* (Federalist Papers[10])

De oplossing van het 'probleem' van ambtelijke macht zit 'm niet in het krampachtig terugduwen van ambtenaren in hun hok of het afdwingen van hiërarchie, maar in het zorgen voor evenwicht. Laat ambtenaren maar verantwoording afleggen aan het publiek of, in het uiterste geval, aan de rechter. Dit ondermijnt niet het gezag van de wethouder of minister, maar is een aanvulling, een contragewicht dat voorkomt dat de balans scheef gaat en blijft hangen. De baas (wethouder of minister) kan eenvoudig niet alles weten en controleren. Dit betekent dat een deel van de publieke verantwoording, de basis onder onze democratie, verlegd wordt. Hiermee verdwijnt niet het primaat van de wethouder. Het is alleen niet meer altijd het primaat van de wethouder.[11]
Ook hier rijst de vraag of het duale stelsel deze beweging naar een horizontale verantwoording versterkt heeft.

Een ondernemer wil voor zo min mogelijk geld goed bestuurd worden. Dualisme kan hierin helpen. Nog veel belangrijker zijn krachtige politici die met twee voeten in de klei staan.
(Hans Haerkens, algemeen secretaris VNO-NCW Noord)

Het dualiteitenkabinet

3

Het stelsel in veranderkundige context

"*Het geheim van vooruitkomen is beginnen met lopen.*"
(Dag Hammarskjöld)

3.1 INLEIDING

Elke organisatie heeft een eigen identiteit en problematiek, een eigen structuur, strategie en doelen. Het begeleiden, sturen en plannen van een veranderings-traject is dan ook altijd maatwerk. Dat betekent echter niet dat het wiel telkens weer opnieuw uitgevonden moet worden. Vanuit jarenlange ervaringen in de praktijk is een gangbare theorie rond veranderingsprocessen ontstaan, die zijn waarde en toepasbaarheid ruim bewezen heeft. In dit hoofdstuk bekijken we de invoering van het duale stelsel in de gemeentepolitiek aan de hand van die theorie. Voor een theoretisch kader en de uitleg van begrippen verwijzen we naar bijlage 1, waar de hoofdlijnen van de veranderkundige theorie zijn weer-gegeven.

3.2 DE EERSTE STAP IS GEZET

De bovenstaande uitspraak van de voormalige Secretaris-Generaal van de Verenigde Naties geeft in al zijn eenvoud heel goed de essentie weer van wat de invoering van het dualistische stelsel tot op nu toe in veranderkundige zin voorstelt: er is een eerste stap gezet. Dit laat zich goed uitleggen aan de hand van figuur 3.1 waarin vier organisatieaspecten zijn weergegeven.

Deze figuur geeft aan dat als er iets verandert binnen één van deze aspecten, er ook altijd iets verandert (of moet veranderen) in de overige drie. Deze vier organisatie-aspecten dienen dus op elkaar afgestemd te zijn. Keuning[1] spreekt dan ook over 'interne afstemming'. Laten we eens kijken waar de vier begrippen precies voor staan.

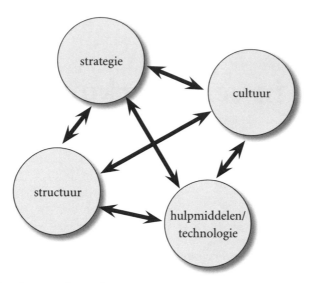

Figuur 3.1 Interne afstemming

Strategie

Strategie zegt iets over de doelstellingen van de organisatie en hoe je die wilt bereiken. Globaal gezien worden met de invoering van het dualistische stelsel twee doelen nagestreefd. Primair het enthousiasmeren van de burger voor het lokaal bestuur en secundair het opheffen van de tegenstelling tussen de theorie en de praktijk van hoe de bestuurlijke verhoudingen binnen het gemeentebestuur liggen.

Structuur

De structuur vertelt iets over de manier waarop een organisatie in elkaar steekt: de verhoudingen tussen mensen, de verdeling van verantwoordelijkheden en taken, de geldende regels, systemen en werkmethoden. Veranderkundig gezien is de invoering van het dualistische stelsel een structuurinterventie. Met de inwerkingtreding van de Wet Dualisering Gemeentebestuur zijn de regels aangepast. Zo zijn taken en verantwoordelijkheden verschoven en maken wethouders niet langer deel uit van de gemeenteraad. Concreet betekent dit dat mensen in andere verhoudingen tot elkaar zijn komen te staan.

Hulpmiddelen/technologie

Hulpmiddelen en technologie staan de organisatie ter beschikking om de strategische doelstellingen te realiseren. Hierbij kan het gaan om materiële zaken als computer- en communicatiesystemen, maar ook om toegepaste methodieken of ondersteunende organisatieonderdelen. Voor de gemeentebesturen zijn in het verlengde van bovengenoemde structuurinterventie nieuwe hulpmiddelen ter beschikking gekomen. Enkele daarvan komen nog ter beschikking. Er zijn hulpmiddelen om de burger voor het lokaal bestuur te enthousiasmeren (nieuwe inspraakmethoden, burgerjaarverslag), maar ook om het dualistisch besturen te faciliteren (de raadsgriffier, de lokale rekenkamer).

Cultuur

Op de definitie van cultuur komen we later in dit hoofdstuk uitgebreid terug. Belangrijk om nu al te weten is dat cultuur zich uit in gedrag, dus ook in hoe mensen hun werk organiseren en structureren. Als de structuur wordt gewijzigd, zoals met de invoering van het dualistische stelsel is gebeurd, raakt dat dus het gedrag van de mensen die werkzaam zijn binnen die structuur. Organisatiestructuur en –cultuur vertonen een sterke relatie, cq. vormen elkaar. Ingrijpen in de structuur leidt dus tot een cultuurverandering. Het leidt echter alleen tot de *gewenste* cultuurverandering als er voldoende draagvlak is. Het is naïef om te denken dat een beoogde cultuurverandering (dus gedragsverandering) als vanzelfsprekend volgt op een structuuringreep. Gedragsverandering vraagt bijna altijd om een daarop gericht programma. Een structuurinterventie als de invoering van het dualistische stelsel kan dan ook niet meer zijn dan een hefboom voor de gewenste cultuurverandering, of, in Hammarskjöld's woorden, een *eerste* stap om vooruit te komen.

3.3 Planningsaspecten

Aard van de interventie

Zoals gezegd is de invoering van het dualistische stelsel veranderkundig gezien een structuurinterventie. Met de 'big bang' - zoals een van de geïnterviewden de inwerkingtreding van de Wet Dualisering Gemeentebestuur aanduidde - is ingegrepen in de bestaande structuur en zijn de systemen en werkmethoden aangepast. De ingreep op zich is gebaseerd op een leerstrategie. De ingezette methodieken zijn vooral faciliterend van karakter. Aanvankelijk was er veel aandacht voor voorlichting en intervisie ('klankborden'), later werd dit vooral voorlichting. Recentelijk heeft ook een eerste meetinstrument, de zogenaamde Quick Scan Dualisme het daglicht gezien.

In de Wet Dualisering Gemeentebestuur is vastgelegd dat sommige structuurveranderingen, zoals de instelling van de lokale rekenkamerfunctie, op een vastgelegd later tijdstip geregeld moeten zijn. Dit is dus een dwingende maatregel. Verder heeft de centrale overheid duidelijk een zeer prominente rol gespeelt bij de totstandkoming van het dualistische stelsel. Je zou dus kunnen zeggen dat de strategie waarop de invoering gebaseerd is wat 'machts-dwangstrategie-achtige' trekjes heeft, maar naar onze overtuiging blijft het in essentie een leerstrategie. Kenmerkend voor een leerstrategie is dat de leiding de leerprocessen conditioneert en ruimte laat voor eigen initiatief. Naar onze mening is dat bij de invoering van het dualistische stelsel het geval. De centrale overheid heeft weliswaar de regels voor de verandering bepaald, maar geeft de gemeentes veel vrijheid bij de uitwerking en implementatie.

Organisatorische context en lerend vermogen

Het mag bestuurlijk gezien dan wel de hoogste tijd zijn geweest om de teloorgang van het democratisch bestel op lokaal niveau tegen te gaan, in veranderkundige termen was niet echt sprake van een escalerende situatie. Er stond naar ons weten geen gemeente op omvallen, en als dit al zo was, dan was dit eerder vanwege een gemeentelijke herindeling of iets dergelijks. En zelfs al *zou* er een gemeente zijn met een kritieke situatie vanwege een tanende democratie, dan ligt het voor de hand om bij die ene gemeente een veranderingsproces in gang te zetten. Typerend voor de huidige situatie is echter dat door een wettelijke ingreep van de centrale overheid 483 autonome gemeentelijke overheden geacht worden een substantieel veranderingstraject door te voeren.

483 gemeenten, 483 veranderingstrajecten. Want geen gemeente is hetzelfde. Denk alleen maar aan de historie, de omvang, de professionaliteit van het bestuur en het apparaat, de samenstelling van de raad, de ervaring die men heeft met veranderingsprocessen én natuurlijk het lerend vermogen van een gemeentelijke organisatie.

De keuze voor een interventiestrategie wordt niet alleen gedicteerd door de problematiek, maar ook door de organisatorische context en het lerend vermogen van een organisatie. Als we naar de organisatorische context kijken, was er naar onze mening geen andere optie dan een leerstrategie. Even los van de vraag of elk van de 483 gemeenten over genoeg lerend vermogen beschikt om een veranderingstraject als de invoering van het dualistische stelsel op basis van een leerstrategie succesvol af te ronden. Een machtsdwangstrategie was absoluut geen optie. Vanwege de grote verscheidenheid van de gemeenten zou dan namelijk een individuele aanpak per gemeente vereist zijn. Dat zou een miljarden verslindende megaoperatie zijn geworden die bovendien per saldo veel weerstand zou hebben opgeroepen. Van een overtuigingsstrategie kan sowieso geen sprake zijn, omdat het om een *wettelijke* maatregel gaat.

Haalbaarheid

De vraag of de aangetroffen problemen in voldoende mate beïnvloedbaar waren is - de doelstellingen van de invoering in aanmerking genomen - tweeledig:

- Kan de burger door een succesvolle invoering van het dualistische bestuursstelsel enthousiast worden voor en meer betrokken worden bij het lokaal bestuur?

- Kan het dualistische stelsel de tegenstelling opheffen dat er in theorie een monistisch stelsel is, maar dat er in de praktijk op lokaal bestuurlijk niveau dualistisch gewerkt wordt? Met andere woorden: wordt het bestuur nu echt helemaal dualistisch?

Betreffende de eerste vraag schrijft de commissie Elzinga nog dat *'politiek spannend en onderhoudend moet zijn'*. Of een succesvolle implementatie tot dat doel zal leiden vragen wij ons af. Bij spannend en onderhoudend denken wij meer aan de firma Endemol dan aan het gemeentehuis. Willen Nederlanders niet gewoon een goed bestuur?

Ten aanzien van de tweede vraag zou je kunnen zeggen dat een formele scheiding tussen raad en college in principe een oplossing biedt voor dit probleem. Maar werkt het in de praktijk ook zo? Is het niet zo dat de politiek haar eigen mores heeft en daar in crisissituaties op terug zal vallen? Blijven de 'oude' coalitiebelangen niet gewoon de doorslag geven als er echt majeure (politieke) belangen op het spel staan? Vanuit veranderkundig oogpunt is dit moeilijk te bepalen, temeer daar er geen duidelijk meetbare doelen op dit punt zijn gesteld. Bij de behandeling van de meningen uit de praktijk komen we hierop terug.

Het is zeer de vraag of de beïnvloeder - vooralsnog is dit de regering in de persoon van de minister, geassisteerd door de begeleidingscommissie Vernieuwingsimpuls - in de positie verkeert om de problemen aan te pakken. Ten aanzien van het enthousiasmeren van de burger voor het lokale bestuur betwijfelen wij dit. Het opheffen van de tegenstelling tussen de theorie en de praktijk van de bestuurlijke verhoudingen kan volgens ons maar voor een klein deel lukken wanneer er niet gerichter op cultuurverandering en andere zaken gestuurd gaat worden.

Figuur 3.2 Spanningsveld bij veranderingsprocessen

Het cultuuraspect wordt des te interessanter wanneer we kijken naar het drieluik Koersbepaling - Huidig functioneren - Ambitie (figuur 3.2). Over de ambities van de betrokkenen kan zo in het algemeen niet zoveel gezegd worden. Over het huidig functioneren echter des te meer. Veel van de zaken die met de invoering van het dualistische bestuursstelsel beoogd worden, zouden in principe ook wel te realiseren zijn binnen het monistische stelsel. Denk bijvoorbeeld aan:

- De meer kaderstellend functie van de raad;
- De rekenkamercommissie (sommige gemeenten hadden al een vergelijkbare functie);
- Meer initiatieven van de raad richting de burgers.

Toch zijn deze zaken in het verleden nauwelijks tot stand gekomen. Is dat een tekortkoming van het monistische stelsel? Nee, het gebeurde gewoon niet, terwijl het prima had gekund. Dit heeft alles te maken met cultuur: maar weinig gemeenten vonden het blijkbaar echt nodig.

Probleemanalyse

De commissie Elzinga stelt dat er vier hoofdproblemen zijn binnen de gemeentelijke organisaties. De commissie heeft dus blijkbaar een probleemanalyse uitgevoerd waarvan deze vier hoofdproblemen het resultaat zijn.

De commissie stelt verder nadrukkelijk dat zij niet is gevraagd over de wenselijkheid te adviseren met betrekking tot het duale stelsel, maar over de vormgeving.[2] Dit betekent dat de regering en de kamer de voorliggende problematiek vooraf al ernstig genoeg vonden om er een commissie voor in te stellen.

Over de uitkomst van de voorafgegane analyse vertelt de commissie het volgende:

―――

'De diffuse vermenging van machten, de osmose van bevoegdheden en verantwoordelijkheden, leiden gemakkelijk tot het afschuiven van verantwoordelijkheden en de verplaatsing van besluitvorming naar besloten bijeenkomsten. Dit doet afbreuk aan de doorzichtigheid van het lokaal bestuur.'[3]

―――

Conclusie: de gemeente werkte niet (meer) transparant.

De vier door de commissie Elzinga gesignaleerde problemen

1. De positie van de politieke partijen in de (lokale) vertegenwoordigende democratie staat onder druk. De partijpolitiek in Nederlandse gemeenten houdt geen gelijke tred met de meer algemene ontwikkelingen inzake de lokale democratie. Opkomsten bij lokale verkiezingen zijn dalende en de animo om in plaatselijk partijpolitiek verband actief te zijn, beweegt zich in het algemeen eveneens in neergaande lijn, terwijl aan de andere kant in algemene zin de belangstelling van burgers en organisaties om invloed uit te oefenen op de gemeentelijke besluitvorming juist toeneemt. Maatschappelijke ontwikkelingen hebben het monopolie van de representatieve democratie dat van oudsher gedragen wordt door politieke partijen, doorbroken. Nieuwe, directere vormen van participatie en beïnvloeding dienen zich aan. Het representatieve stelsel dreigt niet alleen zijn monopolie maar ook zijn primaat kwijt te raken. Om dat te voorkomen zullen nieuwe vormen van participatie en beïnvloeding moeten worden geïntegreerd in het representatieve stelsel.
2. De formele monistische grondstructuur van de gemeente ten spijt, blijkt dat de bestuurspraktijk - zowel in grote als kleinere gemeenten - een meer dualistisch karakter draagt. De raad, volgens de monistische theorie het beleidsbepalende orgaan van de gemeente, is in de praktijk vooral aangewezen op zijn rol als controleur van het beleid van het college van burgemeester en wethouders. Die rol is voor de raad die zichzelf vooral als medebestuurder ziet, echter niet vanzelfsprekend. De instrumenten die de raad voor het vervullen van zijn controlerende taak heeft, zijn bovendien onvoldoende. Omgekeerd is het college volgens de theorie ondergeschikt aan de raad maar in de (dualistische) praktijk heeft het college het bestuurlijk overwicht. Deze tegenstelling tussen theorie en praktijk maakt de bestuurlijke verhoudingen binnen het gemeentelijk bestel ondoorzichtig en verwarrend. Voor de werkwijze van de raad, de organisatie van het politieke proces, de lokale democratie en de rekrutering van raadsleden is dit gebrek aan transparantie een belemmerende factor.
3. De herkenbaarheid van het lokaal bestuur als forum van politieke besluitvorming is gering, mede omdat er geen duidelijke scheiding bestaat tussen de machten van bestuur en controle. Politieke besluitvorming is daardoor een naar binnen gekeerd proces tussen bestuursorganen met in elkaar overlopende verantwoordelijkheden. De wethouders vervullen in dat proces een aantal dubbelrollen. Zij zijn lid van

het college, lid van de raad en voorzitter van raadscommissies. De rol van de raad als lokale volksvertegenwoordiging en als tegenspeler van het college heeft daardoor naar buiten toe onvoldoende gewicht.

4. De collegialiteit binnen het college van burgemeester en wethouders staat onder druk. Het partijpolitieke en bestuurlijke profiel van de wethouders als portefeuillehouders is in de loop van de tijd toegenomen. Daardoor bestaat meer behoefte aan de burgemeesterlijke rol van coördinator van besluitvorming en bewaker van de eenheid van het collegebeleid. De mogelijkheden van de burgemeester daartoe hebben met die groeiende behoefte echter geen gelijke tred gehouden. Niettemin is de burgemeester in de ogen van de burger de belangrijkste bestuurder van de gemeente.

Verder stelt de Commissie:

_____

'Een stelsel dat een heldere scheiding en distantie bevat tussen de organen die belast zijn met bestuur en de organen die belast zijn met de controle op het bestuur, schept betere voorwaarden voor de slagvaardigheid van het bestuur, een actief gebruik van controlemiddelen en een transparante en herkenbare rolverdeling.'[4]

_____

Conclusie: naast het gebrek aan transparantie, diende de slagvaardigheid verder vergroot te worden en moest de controlerende functie versterkt worden.

De commissie doet nog een uitspraak die wijst in de richting van een analyse:

_____

'In de honderdvijftig jaar na Thorbecke is in de opzet van het gemeentelijk bestel niet echt iets veranderd. Maar de maatschappij is wel volstrekt anders dan honderdvijftig jaar geleden. Vandaar dat er een adviescommissie is ingesteld om met de bril van de 21ste eeuw naar dat oude vertrouwde systeem te kijken.'[5]

_____

Conclusie: de wetgeving en wij zijn uit elkaar gegroeid.

Verder stelt de commissie vast dat er een structurele afkalving plaatsvindt van het draagvlak van politieke partijen. Met name de sterk dalende ledenaantallen brengen dit tot uitdrukking. Er zijn gemeentes waar landelijke partijen niet in staat waren voldoende kandidaten te werven.

Het dualiteitenkabinet

Conclusie: de burger is niet meer geïnteresseerd in politiek, althans niet middels het lidmaatschap van een politieke partij.

Ook de commissie Elzinga besefte dat het verhangen van de bordjes maar een deel van het verhaal is:

──────

'*De commissie onderkent echter het belang van mogelijke wijzigingen in de cultuur van het openbaar bestuur en in het functioneren van politieke partijen, die kunnen bijdragen aan dualisering van het bestuursmodel'.*[6]

──────

Conclusie: cultuurveranderingen binnen de gemeentelijke organisatie zijn noodzakelijk.

Over dit laatste onderwerp schrijft de commissie verder:

──────

'*Voor daadwerkelijke vernieuwing van het gemeentelijk bestuur en de lokale democratie is ook vernieuwing van de politieke cultuur en vernieuwing van werkwijzen en methodieken noodzakelijk. Dualisering vraagt een wezenlijke heroriëntatie van raadsleden, bestuurders, ambtenaren en politieke partijen. Dualisering door ontvlechting van institutionele posities en bevoegdheden kan fungeren als hefboom voor cultuurverandering. Omgekeerd is cultuurverandering ook nodig voor de uitvoering van institutionele veranderingen.*'

──────

Daar laat de commissie het gelukkig niet bij. Zij vindt dat er *gelijktijdig* met de implementatie van het dualistische bestuursstelsel een 'Vernieuwingsimpuls lokaal politiek stelsel' moet worden ingezet. Daarbij denkt zij aan het opzetten van een meerjarig programma met een aantal *concrete actiepunten en doelen* (bijvoorbeeld de feitelijke vermindering van het tijdsbeslag van het raadslidmaatschap), waarin in samenwerking en samenspraak met gemeenten, bestuurdersverenigingen, politieke partijen en betrokken maatschappelijke organisaties impulsen worden gegeven aan vernieuwing van stijlen, werkwijzen en methodieken van politiek en bestuur.

Over cultuur(verandering)

De werkelijke verandering, door de commissie de culturele verandering genoemd, is des poedels kern. Met culturele verandering wordt bedoeld dat betrokkenen moeten veranderen qua instelling en gedrag. Hiermee wordt direct duidelijk dat deze verandering moeizaam kan gaan. Het raakt aan beelden, overtuigingen en gewoontes. Daarom verander je gedrag niet zomaar. Iets vertrouwds afleren en iets nieuws aanleren vraagt tijd, overtuiging en uithoudingsvermogen.

'Veranderen' heeft bij velen een negatieve connotatie. Vaak is dit gevoel gebaseerd op eigen ervaring: veranderingsprojecten waar veel tijd en energie in is gaan zitten, maar die niet dát brachten wat voorspeld was. Veel veranderingsprocessen worden ervaren als een soort rituele dansen. Sommige organisaties zijn al vaker dan één keer gekanteld, meestal zonder het gewenste resultaat.

Veranderen vinden veel mensen sowieso niet leuk: het vertrouwde, veilige moet worden ingeleverd voor iets waarvan nog maar moet blijken dat het beter is. En als het al beter is, voor wie dan? Veranderen is ook heel persoonlijk. Men moet anders denken, voelen, handelen, interpreteren, beoordelen en dergelijke. Zelfs als betrokkenen de noodzaak tot verandering inzien, betekent dit niet een garantie voor een positieve en onvoorwaardelijke medewerking.

Cultuur wordt zichtbaar door gedrag. Verschillende culturen zijn herkenbaar aan hun gedrag of uitingen. Hier zitten natuurlijk diepere lagen onder. Het zijn vaak de ongeschreven regels die de cultuur bepalen. Mensen die nieuw binnenkomen moeten deze regels leren, vaak met vallen en opstaan: '*Zo doen wij dat hier niet, jongeman*'.

Iedere wetenschapper die zich met organisatiecultuur bezighoudt creëert een eigen definitie, zoals:
- 'De gemeenschappelijke verstandhouding'[7].
- 'Collectieve mentale programmering'[8]
- 'Het geheel van door de leden van de organisatie gedeelde en overdraagbare opvattingen over het reilen en zeilen van de organisatie die tot uitdrukking komen in symbolen, rituelen, en gedragspatronen en die betrekking hebben op de presentatie van de organisatie naar buiten, het interne functioneren en de doeleinden die de organisatie zich stelt.'[9]

Die variatie in definities is logisch. Iedereen neemt z'n eigen bagage, eigen bril en eigen overtuigingen mee. Overzien we de literatuur op dit gebied, dan kunnen we een aantal overeenkomsten vaststellen:
- Het zit niet alleen in de hoofden van mensen, maar het uit zich in gedrag. Het is waarneembaar gedrag en dus te beschrijven.
- Het wordt gedeeld door praktisch iedereen die binnen de organisatie werkt, van hoog tot laag.
- Het gedrag beperkt zich niet tot binnen de eigen muren: ook externen met wie een relatie bestaat ervaren 'de cultuur'.

- Het is aangeleerd gedrag. Het wordt doorgegeven op verschillende manieren, zoals introductiecursussen, beoordelings- en functioneringsgesprekken, ongeschreven regels, opmerkingen en dergelijke.
- Het is een vaste waarde, relatief stabiel en maar langzaam te veranderen. Het biedt namelijk een vorm van veiligheid en continuïteit. Het gevoel van 'Ik voel me hier op m'n gemak'.

Organisatiecultuur biedt een zekere mate van zekerheid en brengt mensen samen binnen gedeelde waarden en normen. De cultuur zorgt voor interne stabiliteit, die ook weerstand biedt tegen (vijandelijke) invloeden van buiten. Daarom is de cultuur belangrijk voor mensen. Het maakt het mogelijk de eigen, persoonlijke doelstellingen én die van de organisatie te verwezenlijken.

3.4 Sturingsaspecten

Het rapport van de commissie Elzinga is geen plan van aanpak zoals bedoeld in de veranderkunde[10]. Het in het rapport opgenomen stappenplan geeft aan welke *structuurveranderingen* wanneer gerealiseerd moeten zijn. Maar welke *doelstellingen* wanneer gerealiseerd moeten worden blijft bijvoorbeeld onvermeld. Toch hadden zowel de opdrachtgever als de Staatscommissie naar onze mening het doel om tot een geplande verandering te komen. Men vond niet dat de ontwikkelingen van de laatste decennia binnen de lokale politiek de goede kant op gingen, of in voldoende tempo plaatsvonden. Er moest dus bewust vernieuwd worden. Het rapport Elzinga was daarbij de leidraad.

De begeleiding van de daadwerkelijke implementatie van het dualistische stelsel is in handen gelegd van een commissie, de begeleidingscommissie Vernieuwingsimpuls. Deze commissie is mede op verzoek van de Tweede Kamer ingesteld. De commissie is in oktober 2000 geïnstalleerd en heeft tot taak tot 2006 de implementatie van het nieuwe duale stelsel te begeleiden. Tijdens de kamerbehandeling is in het bijzonder gevraagd ook nadrukkelijk aandacht te schenken aan het aspect cultuurverandering.

3.5 Kritische succesfactoren

Communicatie

Al eerder hebben wij vastgesteld dat 7 maart 2002 aan ons is voorbijgegaan. Een korte rondvraag bij collega's, vrienden en bekenden leverde hetzelfde beeld op. De direct betrokkenen zijn wél voldoende geïnformeerd cq. hebben de mogelijk gehad zich goed te informeren. Het internet vervulde daarbij een grote rol[11]. Daarbij moet aangetekend worden dat men dan wel bewust op zoek moest naar informatie.

De communicatie naar de uiteindelijke doelgroep, de burger, is slecht. Slecht, omdat het voor de hand ligt om je doelgroep te vertellen dat je iets voor ze doet, waarom je dat doet, wat het kost en wat ze er van kunnen verwachten. Bij dit veranderingstraject is dat niet gebeurd. De burger, behalve die enkeling die nog lid is van een politieke partij[12], weet van niks. Het blijft overigens nog de vraag wie had moeten communiceren naar de burger. De rijksoverheid i.c. de minister, of de gemeente, het lokale bestuur? Of is het niet erg dat de burger onwetend is gebleven? Legt de overheid zich gewoon neer bij de tanende interesse voor de politiek. Is het gewoon een 'fact of life' dat er meer mensen gestemd hebben op het programma Idols dan op Europa?

Sommige media hebben in een later stadium wel verhaald over het duale stelsel. Maar dan onder smeuïge koppen als 'Dolende wethouders'. Wanneer je als gemeente niet zelf communiceert naar je burgers en daarmee de regie laat aan de waan van de dag, loop je dus de kans op dit soort publiciteit. Artikelen, waarop de reactie in veel gevallen zal zijn: 'Zie je wel, ze doen maar wat, en wat kost dat allemaal wel niet?'.

Natuurlijk zijn er ook initiatieven gericht op de burger die een duidelijk communicatief aspect in zich hebben. De verschillende vormen van burgerparticipatie en de publieke verantwoording (het burgerjaarverslag) zijn stappen in de goede richting.

Draagvlak

De doelgroepen lijken pas in een vrij laat stadium betrokken te zijn geraakt. Er is voor hen beslist 'dat het zo niet langer kon'. Wie deze beslissing heeft genomen? Het is met name D66 geweest die jarenlang heeft geijverd voor vernieuwing van het lokale bestuur. Zij vond de bestaande situatie niet aanvaardbaar. Uiteindelijk heeft dit geleid tot het instellen van de commissie Elzinga. Uit de opmerking van de commissie dat zij niet is gevraagd om over de wenselijkheid te adviseren kan geconcludeerd worden dat steeds meer Tweede Kamerleden zijn gaan vinden dat de lokale democratie onvoldoende was (geworden) en dat het duale stelsel daarop het juiste antwoord was. De commissie Elzinga is daarna gevraagd te adviseren over het 'hoe' hiervan. De meeste betrokken doelgroepen waren niet vertegenwoordigd in de commissie Elzinga, en hebben als zodanig niet aan tafel gezeten toen de hoe-vraag besproken werd. In de begeleidingcommissie Vernieuwingsimpuls zijn de meeste van de betrokken doelgroepen overigens wel vertegenwoordigd.

Sponsorship

Het veranderingsproces heeft op gemeentelijk niveau geen duidelijke sponsoren. De hooggeplaatste personen in en rond het gemeentebestuur (burgemeester, wethouders, fractieleiders, gemeentesecretaris) zijn lang niet allen overtuigd van het nut en de noodzaak van de verandering. Daardoor is er in veel gemeenten geen persoon die op de achtergrond een stimulans aan het proces geeft. Het gevolg: het doel bij veel gemeenten is niet om de door de commissie Elzinga beoogde verbeteringen te realiseren, maar om (liefst met een minimale inspanning) te voldoen aan de nieuwe wettelijke eisen.

Concrete doelen

Wordt na lezing van het rapport van de commissie Elzinga duidelijk welke (concrete) doelen gerealiseerd moeten worden?

- vitalisering van het openbaar bestuur en de politieke besluitvorming in de gemeente;
- het vergroten van de herkenbaarheid en transparantie van het openbaar bestuur en de politieke besluitvorming;
- betere voorwaarden scheppen voor een slagvaardig bestuur; een actief gebruik van controlemiddelen en een transparante en herkenbare rolverdeling;
- het mogelijk vergroten van de doeltreffendheid van het bestuur;
- het stimuleren van het democratisch proces.

Het zijn doelen, maar geen SMARTi doelen (zie bijlage 1: B1.5) Het is dan ook moeilijk meetbaar of en wanneer ze behaald zijn. Als gemeenten op deze punten echt aantoonbare resultaten willen behalen, moeten zij op lokaal niveau, dus toegesneden op de lokale situatie, de doelen SMARTi maken. Onze indruk uit de vraaggesprekken is dat dit tot nu toe niet of nauwelijks gebeurt.

Het stappenplan in het rapport van de commissie Elzinga geeft aan welke structuurveranderingen wanneer gerealiseerd moeten zijn. Wanneer welke doelstellingen gerealiseerd moeten zijn blijft onvermeld. Het lijkt ook een schier onmogelijke opgave om een globale doelstelling als 'de burger moet meer betrokken worden/ raken bij de lokale politiek' in concrete, meetbare getallen te vatten. Misschien zou het aantal initiatieven getoetst kunnen worden dat wordt gerealiseerd om de burger te betrekken, zoals de politieke markt van Almere. Of wellicht kan het ledenaantal van de politieke partijen als graadmeter gelden. Of deze oplossingen echt een beeld geven van het behalen van de doelstelling is echter zeer de vraag.

Faciliteren

Facilitering vindt voornamelijk plaats via de Vernieuwingsimpuls Dualisme en Lokale Democratie, of 'de Vernieuwingsimpuls'. Dit is een gezamenlijk project van het Ministerie van Binnenlandse Zaken en Koninkrijksrelaties (BZK) en de Vereniging van Nederlandse Gemeenten (VNG). De Vernieuwingsimpuls verzorgt allerhande zaken voor de verschillende doelgroepen zoals:

- het beheren van een website met uitleg, toelichting en achtergronden

- voorlichting en assistentie van consulenten
- publiceren initiatieven en ervaringen van gemeenten
- publiceren publicaties en onderzoek
- bijeenkomsten, symposia en congressen

Evalueren en bijstellen

Binnen het proces is inmiddels aandacht voor evaluatie en bijstelling. Niet alleen is op dit moment (najaar 2004) de commissie Leemhuis-Stout hard aan het werk om na twee jaar de balans op te maken. Ook de begeleidingscommissie Vernieuwingsimpuls heeft z'n eerste jaarbericht het daglicht laten zien. In dit jaarbericht[13] wordt erg veel - terechte - aandacht besteed aan de (bestuurs-) cultuur die veranderen moet. Onze indruk is dat alles tot nu toe wel erg naar binnen is gericht. De evaluaties spelen zich voornamelijk binnen het gemeentehuis af en nauwelijks in samenspraak met de burgers. Dit is ook verklaarbaar. Zonder SMARTi doelen levert een evaluatie weinig of geen concrete resultaten op die helder naar de burger gecommuniceerd kunnen worden.

3.6 Nabeschouwing

In dit hoofdstuk is het dualistische stelsel in een veranderkundige context geplaatst. Daarbij blijkt dat de in Bijlage 1 behandelde veranderkundige praktijktheorie niet één-op-één kan worden toepast op het dualistische stelsel en de invoering ervan. Veel van de theorie is bedoeld voor redelijk strak omlijnde organisaties. In het geval van 483 gemeenten is niet langer sprake van één strak omlijnde organisatie, eerder van een waaier van suborganisaties. Bovendien is er sprake van een wettelijk opgelegde structuuringreep, zodat er bij de betrokkenen geen keuzevrijheid is bij het accepteren van de maatregel.

Kijken we naar de veranderingen op gemeentelijk niveau, dan lijkt de veranderkundige theorie wel van toepassing. Zeker nu de wettelijke structuurinterventie heeft plaatsgevonden en elke gemeente afzonderlijk voor de taak staat de gevolgen daarvan te implementeren. Op dit moment vindt die implementatie nog vooral plaats op het niveau van structuren en processen; de organisatie wordt aangepast om te kunnen functioneren onder de nieuwe wettelijke richtlijnen. Er is voor de gemeenten nog veel werk te verrichten om ook een cultuurverandering te realiseren. Om de cultuur en daarmee ook het gedrag van mensen te kunnen veranderen, zal het in veel gemeenten noodzakelijk zijn om direct betrokkenen te overtuigen van het nut en de noodzaak van de in het rapport van de commissie Elzinga gestelde doelen. Verder zullen de gemeenten, om werkelijk tot resultaten te komen, de nu nog abstracte doelen op lokaal niveau moeten concretiseren tot SMARTi doelen. Pas dan kan er concreet gewerkt worden aan een aantoonbare versterking en grotere transparantie van de lokale democratie.

4

De invoering van het duale
stelsel in de praktijk

"Binnen de perken zijn de mogelijkheden even onbeperkt als er buiten."
(Jules Deelder)

4.1 INLEIDING

Om een indruk te krijgen van de invoering van het dualistische bestuursstelsel in de praktijk, hebben we in totaal 34 interviews afgenomen. Het grootste deel daarvan (32) zijn interviews met burgemeesters, wethouders, raadsleden, raadsgriffiers, gemeentesecretarissen en directeuren. Deze geïnterviewden zijn afkomstig uit 28 in omvang sterk uiteenlopende gemeenten, merendeels uit het noorden en het oosten van het land. Daarnaast hebben we vertegenwoordigers van MKB-Noord en VNO-NCW Noord geïnterviewd. Een overzicht van alle geïnterviewde personen vindt u in bijlage 2.

Mocht u na het lezen van de eerste hoofdstukken de indruk hebben gekregen dat er een wetenschappelijk werk voor u ligt, dan moeten wij u toch teleurstellen. De resultaten van de afgenomen interviews vormen niet de basis voor een statistische analyse of iets van dien aard. Zoals we in onze 'Verantwoording' hebben geschreven, gaat onze interesse primair uit naar de veranderkundige aspecten van de invoering van het dualisme. Met de interviews proberen we u dan ook niet een statistisch bewijs te leveren. We willen gewoon een beeld krijgen van hoe de invoering in de praktijk verloopt en wat dat in veranderkundige zin betekent. U vindt in dit boek dus geen grafieken en tabellen, maar wel veel citaten die als illustratie dienen voor veranderkundige aspecten.

Bij de interviews hebben we gebruik gemaakt van een gestructureerde vragenlijst. U vindt deze in bijlage 3. Aan het eind van ieder vraaggesprek hebben we de geïnterviewden gevraagd of er wat hen betrof nog belangrijke punten waren die tijdens het interview niet aan de orde waren gekomen. Dit bleek nagenoeg niet het geval te zijn.

Zoals uit de vragen blijkt, hebben we de geïnterviewden gevraagd of de invoering van het stelsel naar hun mening nodig was, hoe de invoering van het stelsel in hun gemeente is verlopen en wat zij in hun eigen functie van het nieuwe stelsel merken. Ook hebben we gesproken over de verschillende rollen van de raad, het al dan niet aanwezig zijn van extra informele circuits op basis van vroegere verhoudingen en de toegevoegde waarde van de raadsgriffier. Tot slot hebben we de geïnterviewden gevraagd wat er volgens hen de komende jaren nog gaat of moet gebeuren en hoeveel tijd er nodig is om het dualisme volledig tot bloei te laten komen.

4.2 Nut en noodzaak

Om de geïnterviewden de kans te bieden even op gang te komen hebben we als eerste punt gevraagd naar hun definitie van dualisme. Nagenoeg alle geïnterviewden hanteren een definitie die nauw aansluit bij de definitie uit het rapport van de commissie Elzinga[1], namelijk dat:

'In een verhouding tussen een vertegenwoordigend orgaan en een uitvoerend orgaan sprake is van dualisme indien het uitvoerend en het vertegenwoordigend orgaan beide substantiële, eigen – door wet of grondwet geattribueerde – bevoegdheden bezitten en de leden van het uitvoerend orgaan niet tevens deel uitmaken van het vertegenwoordigend orgaan'.

Ruim de helft van de geïnterviewden neemt in zijn of haar definitie mee dat dualisme ook leidt tot een andere manier van met elkaar omgaan in het lokale politieke proces en/of dat het in de kern bedoeld is om de burger meer bij de lokale politiek te betrekken.

Het dualisme was niet nodig

De invoering van het dualisme in de gemeentelijke politiek was wat de overgrote meerderheid van de geïnterviewden betreft niet nodig geweest. Veel van de veranderingen die met de invoering van het dualisme worden beoogd hadden naar hun stellige overtuiging ook onder het monisme opgepakt kunnen worden. Bij sommige van de beoogde veranderingen plaatst men sowieso vraagtekens. Dit uit zich met name op drie punten, de relatie tussen college en raad, de arena die terug moet keren en het betrekken van de burger bij de lokale politiek.

1. Relatie college en raad

Het eerste punt betreft de nieuwe rolverdeling tussen college en raad. Met name in kleinere gemeenten vindt men nogal eens dat de nadelen op dit punt groter zijn dan de voordelen.

―――

"Voor mij was het niet nodig geweest. Ik heb sterk het idee dat in kleinere gemeenten de nadelen van dualisering groter zijn. In een kleine gemeenschap zijn mensen toch meer geneigd om samen te werken en te denken. Ik heb het idee dat er nu af en toe kunstmatige tegenstellingen worden gecreëerd tussen college en raad, die meer spanningen opleveren dan oplossen."

(Wout van Boggelen, directeur Burgerzaken en gemeentesecretaris gemeente Grootegast)

―――

Kleinere gemeenten plaatsen daarbij vaak wel de kanttekening dat zij zich kunnen voorstellen dat het dualistische bestuursstelsel in grote gemeenten wel degelijk de nodige voordelen oplevert:

―――

"Nee deze verandering was niet nodig. Maar ik kan mij heel goed voorstellen dat het in een stad als Utrecht of Groningen wel nodig is, want daar is de politiek niet altijd te overzien. Ik denk dat het heel veel te maken heeft met de schaal van de gemeente. In Tynaarlo, met 32.000 inwoners, is de politiek goed te overzien. Wat mij betreft had het hier dus niet hoeven te veranderen."

(Bert Gringhuis, CU-raadslid gemeente Tynaarlo)

―――

"Ik zou het zelf niet bedacht hebben, denk ik, want monisme kan ook heel goed als systeem. Maar je moet kiezen. Het is of consequent monisme, of consequent dualisme. We hebben de afgelopen jaren al gezien dat de wat grotere gemeenten niet meer echt aan de kernfunctie van monisme kunnen voldoen. Je ziet toch dat de raad de gemeente feitelijk bestuurt en dat een college echt een afgeleide is van de raad. Dat moet je eens een keer verhelderen door het dualisme bewust als stelsel in te voeren. Dan krijg je meer balans en dan heb je de zaken goed met elkaar afgesproken. Maar het zou in kleinere gemeenten denk ik niet bedacht zijn. Wij zitten er naar mijn mening tussenin."

(Hayo Apotheker, burgemeester gemeente Steenwijkerland)

―――

Deze mening wordt door de geïnterviewde personen uit de grotere gemeenten echter niet per definitie gedeeld.

Veel geïnterviewden merken bovendien op dat er onder het monistische stelsel ook al behoorlijk duaal gewerkt werd:

"Met de invoering van het dualisme zijn een heleboel elementen geïntroduceerd, maar verschillende daarvan hadden wij al. Men kon hier bijvoorbeeld heel gemakkelijk amendementen indienen. Daarvoor was maar één ondersteuning nodig, de hele raad hoefde er dus niet achter te staan. Twee handtekeningen waren al voldoende om een amendement of motie behandeld te krijgen. Verder waren de voorzitters van de raadscommissies hier al raadsleden, ik denk al wel twaalf jaar. Er waren hier ook al veel contacten met de bevolking. In Heerenveen zijn veel verenigingen van plaatselijk belang. De raadsleden gaan daar veel naar toe. Dat was ook al zo al voor de invoering van het dualisme."
(Anne van der Laan, raadsgriffier gemeente Heerenveen)

Wat verder opvalt is dat nogal wat mensen aangeven dat de taakverdeling tussen de raad en het college nog steeds niet goed geregeld is. '_En als het al goed geregeld is, dan is het nog onvoldoende gecommuniceerd, zowel bij collegeleden als raadsleden_', vertelt een van de geïnterviewde wethouders.

2. De arena terug in de gemeentepolitiek
Een ander punt dat veel geïnterviewden aanhalen, is dat verlevendiging van het debat niet zo zeer afhangt van het stelsel dat van toepassing is, maar veel meer van de intenties en de kwaliteit van de debaters:

"Dualisme is voor veel mensen synoniem aan open en fris debatteren, zoals monisme een synoniem is geworden voor achterkamertjespolitiek. Dat is misleidend, want het zijn gewoon twee staatkundige begrippen. Persoonlijk vind ik het Engelse monistische parlement aanzienlijk frisser discussiëren dan onze dualistische volksvertegenwoordiging. Monisme is dus buitengewoon goed verenigbaar met een sterke positie van de raad en met in alle openbaarheid debatteren over belangrijke zaken."
(René Paas, wethouder gemeente Groningen)

"Ik vind het er niet slechter op geworden. Het hangt ook af van de spreker in de raad, dus van de kwaliteit die deze spreker meebrengt. Dus als de debatten beter zijn, komt dat toch vooral doordat je betere mensen in de raad hebt."
(Oenze Dijkstra, gemeentesecretaris gemeente Zwolle)

Anderzijds benadrukken sommige van de geïnterviewden dat 'duaal debatteren' ook een kwestie van leren en vooral wennen is.

―――

"Af en toe komt er toch wat meer passie in dan er was. Dat heeft denk ik ook te maken met het feit dat de raadsleden zich wat zekerder gaan voelen in de rol die men nu van hen verwacht. Ik denk dat dat in het verleden misschien wat minder was. Het college was duidelijk, de dictaten waren duidelijk, en tja, wat moest de raad er dan eigenlijk nog van vinden..."
(Louis van Ameijden Zandstra, raadsgriffier gemeente Borger-Odoorn)

―――

"We hebben net een rondreis gemaakt langs een aantal andere gemeenten. Wat je ziet, is dat men overal met experimenten bezig is en inderdaad de arena zoekt. Ik vind het prima dat je het debat meer mogelijkheden geeft, maar dat moet niet betekenen dat je het debat om het debat gaat voeren. Ik zie bij veel gemeenten dat dat wel gebeurt. Dat kan niet de bedoeling zijn. Uiteindelijk gaat het erom dat je een gemeente bestuurt en dat je zorgt dat er een aantal dingen gebeuren."
(Jan Mans, burgemeester gemeente Enschede)

―――

Veel van de geïnterviewden onderschrijven overigens het punt dat de heer Mans in het bovenstaande citaat maakt.

3. *Betrekken van de burger*
Last but not least zijn de geïnterviewden uiterst sceptisch over de vraag of met de invoering van het dualistische stelsel de burger dichter bij de lokale politiek zal komen te staan. Vaak stralen de geïnterviewden een zekere mate van ergernis uit als het over dit punt gaat. Dit blijkt onder meer uit een uitspraak als: *'onzin, de burger snapt er vooralsnog helemaal niks van'*. Of, nog sterker: *'dat heeft volgens mij geen donder met dualisme te maken, dat heeft alles te maken met het optreden van politici en politieke partijen in de samenleving'*. Een van de geïnterviewde gemeentesecretarissen verwoordt het eleganter, maar niet minder sceptisch:

―――

"Betreffende de constatering van afstand tot de politiek, denk ik dat dualisering daarop, laat ik het voorzichtig zeggen, niet het enige antwoord is, misschien wel niet eens hét antwoord is."
(Arjen Mewe, gemeentesecretaris gemeente Emmen)

―――

Van de overgrote meerderheid van de geïnterviewden die aangaf dat de invoering van het dualisme wat hen betrof niet nodig was geweest, merkt een aantal op dat ze dualisme als bestuursstelsel in essentie niet slecht vinden. 'Als eerst alles maar eens loopt zoals bedoeld'.

Het dualisme was wel nodig

De mening dat invoering van het dualisme niet nodig was, wordt uiteraard niet door iedereen gedeeld. Een afgetekende minderheid van de geïnterviewden gaf aan vóór de invoering van het stelsel te zijn. Het belangrijkste argument van deze voorstanders is - geheel in lijn met de ideeën van de commissie Elzinga - dat het dualisme de tegenstelling op kan heffen tussen de theorie en de praktijk van hoe de bestuurlijke verhoudingen binnen het lokaal bestuur liggen. Een tweede reden die genoemd wordt is dat dualisme de raad kan stimuleren om meer op hoofdlijnen te opereren:

―――

"Ik was voorstander van de invoering van het dualisme. Ten eerste om de verhoudingen in de gemeente zoals die in de praktijk gegroeid waren formeel vast te leggen. Het college bestuurt en er is een controlerend orgaan: de raad. Ten tweede om te zorgen dat aan het achterhaalde idee van de raad als hoofdorgaan dat de gemeente bestuurt een eind wordt gemaakt."
(Oenze Dijkstra, gemeentesecretaris gemeente Zwolle)

―――

"Dualisme was nodig bij ons en is dat nog steeds. Menig raadslid was en is nog steeds te veel bezig met details. Ik zal een voorbeeld geven. We hebben twee keer in de commissie en een keer in de raad discussies gehad, tot moties toe, over de vraag of er onder bepaalde speeltoestellen op een speelveldje rubberen tegels moeten liggen of dat zand genoeg was. Volgende week komt de strategische visie tot 2030 voor de gemeente in de raad. Daar is in de commissie een hamerstuk van gemaakt! Mag het dan wat dualer bij ons?"
(Jan Oosterhof, burgemeester gemeente Kampen)

―――

Interessant of niet?

Dualisme, nodig of niet naar de mening van de betrokkenen? Vanuit ons perspectief een uitermate interessante vraag. Voor de betrokkenen soms minder, gezien onderstaande pragmatische kanttekening van de burgemeester van Heerenveen:

"Ik vind het niet zo'n relevante vraag moet ik eerlijk zeggen. Het is ons overkomen en we hebben er naar te handelen. Wij hebben gewoon de wet uit te voeren. De vraag of het wel of niet nodig is, is ons niet gesteld en die hebben wij ook niet te beantwoorden."

(Peter de Jonge, burgemeester gemeente Heerenveen)

4.3 HOE IS DE INVOERING GEGAAN?

In de meeste gemeenten is de overgang van het ene naar het andere stelsel technisch gezien zonder al te grote hobbels verlopen. Men schrijft dit onder meer toe aan de genomen voorbereidende maatregelen zoals interne werkgroepen, deelname aan klankbordgroepen van de Vernieuwingsimpuls en ondersteuning van externe bureaus.

Soms vanuit een hele positieve houding:

"Technisch gezien vind ik dat we het hier heel goed opgelost hebben. We hebben ons goed voorbereid, zowel bestuurlijk als ambtelijk. Ook externe partijen erbij gehaald. Bij de invoering hebben we alles direct omgezet van monistisch naar duaal. Het was gewoon een 'big bang' zeg maar. Van de ene op de andere dag hebben we ook de commissievergaderingen afgeschaft."

(Eric Paré, directeur sector Ruimte en loco-secretaris gemeente Grootegast)

"We hebben ook meegelift op de ambitie die de raad heeft geuit. Het lef van een beetje pionieren zit hier misschien wat meer in de genen dan bij een gemiddelde raad elders. Dat heeft gemaakt dat we eigenlijk, als ik terugkijk, een hele vloeiende start hebben gehad. Geen rare hobbels."

(Jan Dirk Pruim, raadsgriffier gemeente Almere)

soms ook wat minder enthousiast:

"Zowel het college als de raad hebben van het begin af aan niet echt het gevoel gehad iets fundamenteel anders te willen. En dus hebben we gekozen voor een losse griffier in plaats van een griffieorganisatie. En als ik kijk naar termijnen die zijn gesteld, is er besloten niet voor de termijn uit te lopen, omdat men eigenlijk vond dat het niet nodig was – niet nodig is - en dat het gewoon veel geld kost."

(Gerke Jager, directeur Dienst Ontwikkeling, gemeente Assen)

en soms nog steeds met de nodige aanloopperikelen en vragen:

"Wij hebben zeker de nodige hobbels gehad. Ten eerste bij de raad en het college, die niet precies wisten hoe je dualisme moest uitvoeren. Daar zijn ook geen exacte regels voor; het is vaak een kwestie van richting zoeken. Wij hebben in dat kader veel contact met omliggende fracties gehad en dan blijkt dat wij het nog niet eens zo slecht doen. Wij hebben onlangs over een raadsprogramma gesproken, maar er zijn een hele hoop raadsleden en ambtenaren die niet exact weten hoe het werkt. Die moeten daar dus onderricht in hebben. Al met al is het nog een moeilijke discussie. Als je dat vergelijkt met de tijd die je erin steekt en het resultaat... Ja, wat is meetbaar aan resultaat en wat is het doel van dualisme? Dat vraag ik me dan wel af."

(Henk Ramhorst, raadslid en VVD-fractievoorzitter, gemeente Meppel)

Een aantal van de geïnterviewden geeft aan dat zij de overhaaste manier van invoeren vanuit Den Haag als obstakel hebben ervaren. Hierdoor was het voor de gemeenten erg zoeken naar de juiste vorm, naast elkaar en zonder elkaar. Dat had volgens de betrokkenen wel anders gekund. Een enkeling wijst erop dat dit met de gekozen burgemeester weer dreigt te gebeuren. Maar, zoals Nederlands bekendste voetballer aller tijden placht te zeggen: 'ieder nadeel heb z'n voordeel'. Want door de overhaaste invoering zijn de betrokkenen wel gedwongen geweest veel met elkaar van gedachten te wisselen en te discussiëren over wat dualisering voor hen zou moeten betekenen.

4.4 WAT IS ER VERANDERD?

Toegespitst op de verschillende functies binnen het gemeentehuis is het volgende waar te nemen.

Bij de raadsleden

Veel raadsleden geven aan dat zij het besturen op hoofdlijnen als grootste verandering ervaren. Zij vinden dit niet eenvoudig en merken expliciet op dat zij in een leerproces zitten. Met betrekking tot dit leren wordt met name aangegeven dat kaderstelling en controleren niet alleen een andere, te leren exercitie is, maar dat het direct bespreken van problemen van burgers (de scheve stoeptegel of de niet brandende straatlantaarn) een belangrijk deel vormt van het hebben van een 'leuke' functie.

Gemeenteraadsleden verenigen zich

UTRECHT - Na de burgemeesters, de wethouders, de griffiers en de gemeentesecretarissen krijgen nu ook de gemeenteraadsleden een eigen vereniging. De oprichters van de Vereniging Raadsleden. Nu vinden dat zij onvoldoende vertegenwoordigd worden door de Vereniging van Nederlandse Gemeenten (VNG). De VNG treedt vaak op als belangenbehartiger voor burgemeesters en wethouders, en lijkt daarbij 'te vergeten dat de tienduizend raadsleden die ons land telt de basis vormen van het lokale bestuur'.

Bron: De Stentor, 23 november 2004

Dat het raadswerk onder het duale bestuursstelsel meer tijd kost dan voorheen baart hen wel zorgen. Zij zien dit maar ten dele als een aanloopprobleem en betwijfelen of de workload nog weer terug zal gaan naar de situatie van voor de invoering van het duale stelsel, laat staan ónder dit niveau.

———

"Nou, mijn eigen functioneren als raadslid naar de inwoners toe is niet veranderd. Alleen moeten we wel uitkijken dat we nog geregeld bij de inwoners komen, want door het dualisme vergaderen we nog meer dan voor die tijd. Dat is echt waar. Dat spanningsveld merk ik ook binnen de fractie. De tijd om bij de inwoners te zijn en om te kunnen luisteren en naar ze toe te gaan is er te weinig. Door de vergadercultuur en omdat we zo met onszelf bezig zijn in de nieuwe situatie, komen we er eigenlijk te weinig aan toe om met de bevolking te vergaderen en te praten. Of dit over twee of drie jaar afgelopen is weet ik echt niet."
(mevrouw Joke Wondergem-Nieuwenhuizen, CDA-raadslid gemeente Noordoostpolder)

———

Met name fractievoorzitters hebben het zwaarder gekregen. Naast het gegeven dat op dit moment alles (nog) veel meer tijd kost dan in het monistische verleden, hebben zij ook te maken met het feit dat fractieleden hun dualistische rol soms wat al te serieus opnemen.

———

"Aan de ene kant heb je de eigen wethouder en aan de andere kant je eigen fractie. Die afstand wordt steeds groter. Als fractievoorzitter kom je dan in een spagaat terecht, omdat je toch een college hebt gevormd met een afspraak. Bovendien heb ik een nog vrij jonge fractie die het dualisme en ook het hele raadsgebeuren als nieuw ervaart en die dan zegt: oké, laat het college dan maar knappen. We hebben onlangs nog een situatie gehad in die setting. Dan moet ik alles uit de kast halen om te zorgen dat alles weer op één lijn komt. Alle neuzen één kant op, dat is wel eens een groot probleem, vind ik. En ik denk niet dat dualisme ook in die zin bedoeld is."

(Henk Ramhorst, raadslid en VVD-fractievoorzitter, gemeente Meppel)

———

Bij de wethouders

Wethouders merken heel sterk dat bij raadsleden een groter zelfbewustzijn is ontstaan. Raadsleden vinden dat zij niet voor de wethouder werken, maar dat de wethouder voor hen moet werken. Wethouders ervaren dat de raad veel scherper is geworden op haar machtspositie, daar ook voor knokt of voortdurend roept 'de baas' te zijn. Sommige wethouders geven aan dat een kritische houding naar het college een belangrijke stijl van politiek bedrijven geworden is. Andere collegeleden vinden dat dit toegenomen zelfvertrouwen van de raad is uitgemond in 'prijsschieten'.

DEN HAAG - Veel wethouders vinden dat ze door de invoering van het dualisme op een zijspoor zijn beland en dat hun vak minder aantrekkelijk is geworden, zo blijkt uit onderzoek.
Het dualisme heeft de positie van wethouders verzwakt, het gemeentelijk bestuur is minder daadkrachtig geworden en de kwaliteit van het lokale debat is verslechterd. Dat vindt een groot deel van de Nederlandse wethouders, zo blijkt uit onderzoek onder 368 wethouders, uitgevoerd door de commissie die in opdracht van het ministerie van Binnenlandse Zaken onderzoek doet naar het dualisme.

Bron: NRC, 11 maart 2004

Het dualiteitenkabinet

"Het contact met de raad is dramatisch veranderd, want psychologisch ben ik nog steeds raadslid. Tot twee jaar geleden was ik lid en was de raadsvergadering altijd een thuiswedstrijd. Gaandeweg wordt dat meer een uitwedstrijd. Dat kun je allemaal erg prettig vinden en goed voor de democratie en het ontwikkelen van tegenmacht. Maar wat ik er vooral van merk is lange tenen. Dus een raad die sneller geïrriteerd is, die sterker dan onder het monistische systeem gefocust is op zijn eigen positie en die je wel steeds het gevoel moet geven dat hij serieus wordt genomen."
(René Paas, wethouder gemeente Groningen)

De lange tenen van de raad zijn wellicht ook de reden dat veel wethouders en burgemeesters aangeven dat het college collegialer is gaan werken. Blijkbaar is men of voelt men zich meer op elkaar aangewezen.
Een enkele wethouder stelt dat hij onder het duale stelsel meer tijd overhoudt, omdat hij niet meer steeds met zijn eigen fractie hoeft te overleggen. Hij vertegenwoordigt nu alleen nog maar het collegestandpunt en dat maakt de dingen wat hem betreft wel veel overzichtelijker.

Bij de burgemeesters

Een grote verandering voor de burgemeester is het pettenprobleem: voorzitter van het college én van de raad. Dit is inmiddels een breed gesignaleerd weeffoutje in de Wet Dualisering.

"Absoluut een pettenprobleem, het is net alsof je de voorzitter van de Raad van Bestuur ook nog eens voorzitter van de Raad van Commissarissen maakt."
(Jan Oosterhof, burgemeester gemeente Kampen)

De geïnterviewde burgemeesters geven aan dat zij momenteel veel meer tijd aan de raad besteden dan voorheen, terwijl er minder tijd aan het college wordt besteed. Enkele burgemeesters geven aan het voorzitterschap van én de raad én het college niet plezierig te vinden.

"De burgemeester stond altijd al wijdbeens. Nu, met twee voorzitterschappen (raad en college) is het een spagaat geworden. Je moet oppassen dat de burgemeester nu niet door de hoeven zakt. De nu ontstane situatie is niet goed. In ieder geval slechter dan dat het was. Deze weeffout moet ongedaan worden gemaakt. Daarmee bedoel ik dat de raad z'n eigen voorzitter uit haar midden moet kiezen."
(Mevrouw Guusje ter Horst, burgemeester gemeente Nijmegen)

Wij hebben begrepen dat dit weeffoutje voorzien was door de commissie Elzinga, maar dat een grondwetswijziging nodig was om het te voorkomen. Om die reden is het geaccepteerd, want een grondwetswijziging zou wellicht hebben meegebracht dat de Wet Dualisering het niet gehaald zou hebben.

In veel kleinere gemeenten heeft de burgemeester nog een tweede pettenprobleem, namelijk dat hij of zij ook optreedt als collegelid, i.e. als houder van een politieke portefeuille in de raad. Een voor de hand liggende en in praktijk ook gehanteerde oplossing daarvoor is dat de burgemeester op zo'n moment even de voorzittershamer overdraagt aan de vice-voorzitter van de raad. Wij waren dan ook verbaasd over het verhaal van een burgemeester die voor de handelswijze door zijn Commissaris van de Koningin 'op de vingers was getikt' omdat dit niet de bedoeling was.

Ook voor burgemeesters betekent de invoering van het dualisme meer werk.

_____

"Ja, het is toch wel meer werk. Het komt er gewoon bij. Dat begint met de vergadering van het presidium. Dat bestond vroeger helemaal niet, toen werd de agenda gewoon in het college vastgesteld. Maar ook zo'n burgerjaarverslag kost tijd. Dat gaat gepaard met allerlei vergaderingen, overleg en afstemming. En wil het ergens over gaan, dan moet je ook doelstellingen formuleren: wat willen we dat beter gaat. Daar is dan weer de organisatie en het college bij nodig. Ik kan wel opschrijven: 'daar en daar is het slecht mee gesteld', maar als dat verder helemaal niet landt, dan is het alleen een slag in de lucht. Daar heb je natuurlijk niks aan."
(Burgemeester Peter de Jonge, gemeente Heerenveen)

_____

Bij de gemeentesecretarissen

Gemeentesecretarissen hebben aan de ene kant makkelijker gekregen omdat ze niet langer verantwoordelijk zijn voor het ondersteunen van de gemeenteraad. Aan de andere kant is het aansturen van de ambtelijke organisatie complexer geworden.

_____

"In het verleden maakte het bijvoorbeeld niet uit of een dienst een advies schreef voor het college of voor de raad. Dat hoorde bij elkaar. Daar waren de ambtenaren aan gewend en ze wisten ook wat hun positie daarin was. Nu moeten ze doordrongen zijn van de rol die mensen spelen in het proces. Wie moet wat weten, daar richt je je stukken op in. Als afgeleide daarvan geldt ook voor mij als eindverantwoordelijke: hoe ga je daarmee om."
(Oenze Dijkstra, gemeentesecretaris gemeente Zwolle)

_____

"Ook op het terrein van het postverkeer moet je heel veel aanvullend regelen. Een brief aan de raad hoort bij de griffier binnen te komen, maar soms gaat zo'n brief over een zaak die onder B&W valt. Hoe ga je daar mee om? Hoe zorg je dat die informatie dan ook snel bij B&W terechtkomt. Of, hoe zorg je dat er op tijd een advies bij de raad komt. Formeel moet de raad dan namelijk eerst aan het college advies gaan vragen. Dus naar mijn mening zit er een gevaar in van over-bureaucratisering, doordat er meer dan in het verleden een scheidingswand is getrokken tussen raad en college."

(Arjen Mewe, gemeentesecretaris gemeente Emmen)

"De rol van het apparaat richting de griffier is die van informatieverstrekker. Feitelijke informatie in gewone proporties is natuurlijk geen punt. Het wordt pas ingewikkeld wanneer heel veel feitelijke informatie wordt gevraagd, waardoor een ambtenaar twee of drie dagen aan het werk moet. Dan kost het extra en dan moet je gaan wegen. Dat is weer een taak van het college cq. de gemeentesecretaris. Ook wordt het ingewikkeld wanneer raadsleden ondersteuning vragen die verder gaat dan feitelijke informatieverstrekking. Ook dat gebeurt. Als een raadslid bijvoorbeeld een initiatiefvoorstel wil maken, dan is het grensvlak tussen feitelijke informatie verstrekken en behulpzaam zijn bij de formulering om een initiatiefvoorstel verder te krijgen, natuurlijk een grijs gebied. En dat is lastig voor ambtenaren, voor de raadsleden zelf ook wel denk ik, voor de griffie en voor mij."

(Arjen Mewe, gemeentesecretaris gemeente Emmen)

Dualisering heeft er dus toe geleid dat de ondersteuning strakker en formeler geregeld moet worden en dat de betrokken ambtenaren terdege moeten beseffen voor wie ze iets doen. Meer bureaucratie? 'Absoluut!' stellen de betrokkenen.

Bij de directeuren

De directeuren van diensten cq. sectoren geven nogal verschillende signalen af over hun eigen ervaringen sinds de invoering van het dualisme.

"Ik vind het een groot nadeel dat de interactie tussen het ambtelijk huis en de raad veel minder is geworden. Ik mis de informele setting in de raad. Met name bij de raadscommissies en zo, dat was gewoon heel plezierig. De omgang met de raad is nu geformaliseerd. Ik denk dat dit in hele grote organisaties als een voordeel wordt beleefd. Daar zat de raad al veel meer op afstand. In kleinere organisaties is dat gewoon nadelig."

(Eric Paré, directeur sector Ruimte en loco-secretaris gemeente Grootegast)

"In het verleden trok het ambtelijk apparaat vrij nauw op met het college. In een gemeente als Assen was dat heel erg één op één. Nu is de raad daar bij gekomen. Dit betekent dat wij met de raad veel meer bijeenkomsten hebben dan voorheen: informatief, informerend, brainstormend om hen te helpen bij de zoektocht naar hun kaders."

(Gerke Jager, directeur Dienst Ontwikkeling, gemeente Assen)

Kortom: schaalgrootte lijkt ook hier een rol te spelen.

Ook de rol van het presidium is van invloed op de taken van de directeuren.

"Ik merk het in zoverre, dat de raad op grote onderwerpen discussie wenst te voeren. Soms niet eens zozeer inhoudelijk, maar wel om hun positie te bepalen. Zij werken veel meer dan voorheen met een strategische agenda. Het presidium, dat wekelijks bij elkaar komt onder voorzitterschap van de burgemeester, speelt daar ook een belangrijke rol in. Met elkaar wordt bekeken welke strategische onderwerpen de raad van belang vindt. Daarnaast krijgt de burgemeester cq. de gemeentesecretaris opdracht om te zorgen dat het ambtelijk apparaat de raad van informatie voorziet. Vroeger wachtte men veel meer af. Nu heeft men toch een meer sturende rol."

(Mevrouw Monique Schoonen, directeur Bestuursdienst, gemeente Groningen)

Bij de taken van de gemeenteraad

De gemeenteraad heeft binnen het dualisme een kaderstellende, controlerende en volksvertegenwoordigende rol. Door sommige burgemeesters wordt deze drie-eenheid nauwelijks als nieuw ervaren.

"Deze drie rollen waren ook in het oude systeem altijd al aandachtspunten van de raad. We doen nou net alsof het opeens drie nieuwe functies zijn, dat is natuurlijk helemaal niet zo. Wel zijn de accenten nu veel uitdagender neergelegd."

(Hayo Apotheker, burgemeester gemeente Steenwijkerland)

In welke mate de raad in staat is om een nieuwe invulling te geven aan deze rollen, hangt sterk af van de rol waarover het gaat.

Vertegenwoordigende rol

Ten aanzien van de volksvertegenwoordigende rol wordt over de hele linie vaak opgemerkt dat raadsleden daar sinds de invoering van het dualisme nauwelijks aan toekomen omdat ze meer tijd met vergaderen kwijt zijn. Mede doordat veel raadsleden het raadswerk naast hun gewone dagelijkse activiteiten doen, blijft er per saldo minder tijd over voor het onderhouden van contacten met de burgerij.

"Ik vind dat er teveel raadsleden zijn die het idee hebben dat ze als volksvertegen-woordiger niet alleen naar het volk moeten luisteren, maar het volk ook nog gelijk moeten geven. Naar mijn smaak is een volksvertegenwoordiger iemand die goed luistert naar de mensen, maar daar wel zijn eigen visie tegenover zet."
(Tjisse Stelpstra, gemeentesecretaris gemeente Midden-Drenthe)

Controlerende rol

De controlerende rol is door de programmabegrotingen waar nu mee gewerkt wordt wat eenvoudiger geworden. Temeer omdat in veel gemeenten nog geen rekenkamer geïnstalleerd is, valt er op dit punt nog weinig verandering te bespeuren.

"Wat de raad het gemakkelijkst afgaat, is de controlerende taak. Hoewel ze dan toch nog wel eens in de valkuil trappen van controleren op een te detaillistisch niveau. Maar in het algemeen gaat dat heel goed. (…) Dus die controlerende rol is eigenlijk de gemakkelijkste, tussen aanhalingstekens, van de drie."
(Bert Folbert, raadsgriffier gemeente Dongeradeel)

Kaderstellende rol

Over de kaderstellende rol wordt vrijuit en met veel vuur gesproken. Unaniem zijn alle geïnterviewden van mening dat het raadsleden vaak moeilijk valt om kaderstellend bezig te zijn. Natuurlijk is het nieuw voor de raadsleden. Ze waren gewend mee te besturen en zich dus ook meer met details bezig te houden. Twee andere verklaringen worden echter ook expliciet aan de orde gesteld: kaderstellend bezig zijn vraagt een niveau van abstract denken dat veel raadsleden (volgens de geïnterviewden) niet in zich hebben. Veel raadsleden zijn qua geaardheid veel meer doeners dan denkers. Daar komt bij dat raads-leden door burgers in de regel worden aangesproken op heel praktische zaken, dus juist op 'details'.

"Zijn we bezig op een aantal plaatsten onze stad te vernieuwen en ook een seniorenflat te bouwen. Komt er in de raad een uitgebreide discussie over of en welk type lift er in komt!"
(Mevrouw Annemieke van Vugt-Toonen, burgemeester gemeente Culemborg)

"Wat nu exact de kaders zijn... En is de burger er in geïnteresseerd dat de raadsleden kaders gaan stellen. Ik denk dat helemaal niet. De burger wil nog steeds de raadleden aanspreken over een losliggende tegel of over overhangende takken of over het ontbreken van een bushalte bij hun op de hoek van de straat."
(Alwi Pompe, wethouder gemeente Lochem)

Kortom: raadsleden denken te gedetailleerd, maar worden vanuit de maatschappij ook niet altijd geïnspireerd om kaderstellend bezig te zijn. Sommigen van de geïnterviewden geven aan dat er wellicht een nieuwe generatie raadsleden nodig is om de raad echt kaderstellend te laten denken én doen. De geïnterviewde fractievoorzitters willen hier niet aan: de bereidheid om raadslid is te worden is niet dusdanig dat er aan de poort geselecteerd kan worden. Door de bank genomen zal het dus aangeleerd moeten worden.
Sommige raadsleden bestrijden ook dat de raad niet toegerust is voor haar taak.

"Wil je op hoofdlijnen sturen dan moeten alle instrumenten ook in orde zijn. De terugkoppeling van het college moet op hetzelfde abstractieniveau zijn als de kaders die wij aangeven. Wij moeten sturen met de drie W-vragen, wat willen we, wat doen we ervoor en wat mag het kosten. Op dat niveau moet de raad functioneren. De informatievoorziening is wat dat betreft gewoon nog niet goed. In ieder geval, we krijgen het niet. Maar of we er nou niet voor toegerust zijn... Misschien moeten we er meer aandacht aan besteden."
(Bert Gringhuis, CU-raadslid gemeente Tynaarlo)

Opmerkelijk, of juist niet, is dat de kaderstellende rol en de problemen op dit punt de geïnterviewden het meest bezig houden. Meer nog dan het feit dat de raad niet echt toekomt aan het structureler onderhouden van contacten met de burgers. Zegt dit iets over de geaardheid van de mensen in en rond het lokaal bestuur? Of denkt men 'bottom line' dat de burger in feite helemaal niet zit te wachten op meer contact met het lokaal bestuur?

Nieuwe instrumenten voor de raad

De raad heeft nieuwe controle-instrumenten tot haar beschikking gekregen. Deze zijn bedoeld om de positie van de raad te verstevigen en te profileren. De raad stelt de kaders en het is logisch dat men wenst te controleren of het college zich blijft bewegen binnen deze kaders. Het stellen van kaders wordt als nieuw ervaren. Zich beperken tot 'de grote lijnen', 'conceptueel denken' en 'geen details meer' zijn uitdrukkingen die worden gebruikt. Kaderstellen betekent voor de raad aangeven wat de doelstellingen precies moeten zijn en wat de zichtbare of te meten maatschappelijke effecten moeten zijn. Ieder individueel raadslid heeft het recht van initiatief en amendement gekregen. Medestanders zijn hierbij, anders dan vroeger, niet meer verplicht.

Het budgetrecht, het vragenrecht, het recht van interpellatie en het recht van onderzoek zijn gedefinieerd en vastgelegd. Het college heeft een actieve informatieplicht richting de raad. Daarnaast zijn gedragscodes verplicht gesteld. De raad stelt deze voor zichzelf en het college vast. Deze gedragsregels zijn met name gericht op (het behoud van) de integriteit van de individuele personen.

De rekenkamer

In het oog springt de rekenkamerfunctie. Veel mensen denken daarbij met name aan de Algemene Rekenkamer zoals deze op Rijksniveau functioneert. De Rekenkamercommissie kan onderzoek doen naar de doelmatigheid, de doeltreffendheid en de rechtmatigheid van het door het gemeentebestuur gevoerde bestuur (uitgezonderd de controle op de jaarrekening) en brengt hier verslag van uit. Ten tijde van ons onderzoek hadden de grote gemeenten (al langere tijd) een dergelijke Rekenkamercommissie en moesten de kleine gemeenten daar nog aan beginnen. Veel gemeenten hebben moeite om de Rekenkamercommissie precies plaats en inhoud te geven. Samenwerking zoeken met buurgemeenten zien veel gemeenten als een goede oplossing. Velen hebben nog geen idee of er bijvoorbeeld ook plaats is, of zou moeten zijn, voor externe deskundigheid. Bijvoorbeeld in de vorm van een accountant, IT-auditor of organisatiedeskundige. Naar mate de datum dichterbij komt (1 januari 2006) nemen steeds meer gemeenten stappen in de richting van het tot stand brengen van een dergelijke Rekenkamercommissie (het omgekeerde komt overigens ook voor).

Achterhoek zoekt samenwerking[2]

De gemeenten Winterswijk, Aalten, Dinxperlo, Lichtenvoorde en Groenlo koersen aan op een rekenkamerfunctie volgens een personele unie. In dit model stellen de afzonderlijke gemeenten per verordening een eigen rekenkamerfunctie in, maar benoemen dezelfde leden als de andere gemeenten. De griffiers van de gemeenten hebben de raden een voorstel gedaan, dat ondertussen in drie van de vijf gemeenten besproken is. Officiële besluitvorming zal naar verwachting pas in 2005 plaatsvinden.

De vijf gemeenten, die binnenkort fuseren tot drie gemeenten, kiezen bij aanvaarding van het voorstel van de griffiers voor een externe commissie van drie leden. De onderzoeksagenda wordt door de rekenkamer zelf bepaald. Voor de uitvoering van haar onderzoeken heeft de rekenkamer een budget van ca. 90.000 euro per jaar tot haar beschikking. Na vier jaar vindt een evaluatie plaats.

Rekenkamerleden Woerden dreigen met opstappen

Het college van burgemeester & wethouders van de gemeente Woerden heeft zich de woede van de rekenkamercommissie op de hals gehaald. Als bezuinigingsvoorstel voor de begroting van 2005, stelde het college voor om het budget van de rekenkamerfunctie te halveren. Ook opperde het college om de rekenkamercommissie pas op de uiterlijk verplichte datum van 1 januari 2006 aan de slag te laten gaan.
In een brief aan de gemeenteraad stelt de rekenkamercommissie dat deze voorstellen onacceptabel zijn. De rekenkamer is al een half jaar bezig geweest met voorbereidingen voor een onderzoek dat momenteel in uitvoering wordt genomen.
Een halvering voor het budget zou betekenen dat de Woerdense rekenkamer maar één onderzoek per jaar kan uitvoeren. Dat vindt de rekenkamercommissie te weinig. Een aantal leden heeft daarom gedreigd om op te stappen als de bezuiniging doorgaat. Dat laatste besluit de raad in oktober 2004 bij de behandeling van de programmabegroting.

College Tytsjerksteradiel pleegt 'plagiaat'

De rekenkamercommissie van Tytsjerksteradiel heeft haar werkzaamheden neergelegd na een aanvaring met het college van burgemeester & wethouders. De rekenkamer beschuldigt het college ervan om aan de haal te zijn gegaan met de onderzoeksvragen van de rekenkamer.

Terwijl de rekenkamer via de Rijksuniversiteit Groningen een onderzoek naar de gemeentelijke aanbestedingen van de brandweerkazerne liet uitvoeren, gaf het college aan Deloitte & Touche een opdracht over hetzelfde onderwerp. Deloitte meldde de rekenkamer vervolgens dat het college specifiek had verzocht de onderzoeksvragen van de rekenkamer bij haar studie te betrekken. De rekenkamercommissie achtte dit 'uiterst onbehoorlijk' en legde haar werk neer.

Volgens het college berust alle commotie op een misverstand. Omdat de rekenkamercommissie de gemeentesecretaris niet zou hebben ingelicht over haar onderzoek, werd pas laat ontdekt dat er twee onderzoeken naar hetzelfde onderwerp gaande waren. Om dubbel werk te voorkomen, stelde het college voor dat Deloitte in haar onderzoek ook de vragen van de commissie zou meenemen. Terwijl het college er van uit ging dat de rekenkamercommissie zich hierin kon vinden, verkeerde de rekenkamer in de veronderstelling dat de onderzoeken elk een andere doelstelling en diepgang zouden hebben.

Al deze controle-instrumenten zijn gericht op het inzichtelijk of transparant maken én houden van het functioneren van het college en het apparaat. Daar is niets op tegen. Maar wie zit daar uiteindelijk op te wachten? De burger? De geciteerde krantenartikelen duiden vooral op 'gedoe' in eigen kring.

———

"De politiek interesseert de burger niet echt. Alleen als er iets gebeurt wat hem of haar echt persoonlijk raakt, weet hij of zij de politiek te vinden. Dat de burger meer betrokken wil zijn bij de politiek is een illusie, die met voorstellen zoals die van Elzinga hoog wordt gehouden. Burgers wensen een betrouwbare overheid. Op dit moment worden we steeds onbetrouwbaarder."
(Mevrouw Annemieke van Vugt-Toonen, burgemeester Culemborg)

———

4.5 EEN NIEUWE FUNCTIE: DE GRIFFIER

De functie van griffier is een rechtstreeks resultaat van de dualisering. De griffiers zelf geven aan dat zij zich in hun huidige positie gewaardeerd voelen en veel ruimte van het presidium en de raad krijgen om met suggesties te komen, te experimenteren met nieuwe procedures en bij goed gevolg deze ook te gaan implementeren.

Griffier m/v

Functie-inhoud
U draagt zorg voor een doeltreffende en doelmatige ondersteuning van de gemeenteraad, en zijn leden, fracties en commissies. U begeleidt de gemeenteraad en zijn leden, fracties en commissies ten behoeve van de volksvertegenwoordigende, kaderstellende en controlerende rol van de gemeenteraad. U draagt in algemene zin bij aan de ontwikkeling van het duale stelsel. Daartoe vervult u een scharnierfunctie tussen de ambtelijke organisatie en de gemeenteraad en zijn leden, fracties en commissies.

Bron: Binnenlands Bestuur, 24 september 2004

"Ik heb een hele simpele insteek: ik heb te maken met gekozen burgers. Dat zijn gewoon vrijwilligers, zoals van welke vereniging dan ook, die zich vier jaar lang inspannen voor deze gemeenschap. Ik heb geen medelijden met ze, want ze krijgen er nog een vergoeding voor ook. Maar het is wel parttime en avondwerk. Daarom is het mijn doelstelling om het werk voor hen zo simpel en eenvoudig mogelijk te maken, zodat ze verantwoorde beslissingen kunnen nemen. Want daar zijn ze voor gekozen, om te beslissen."
(Jan Dirk Pruim, raadsgriffier gemeente Almere)

"Wij hebben een goede, stevige griffier. Ik was gelukkig met zijn benoeming. Hij is theoretisch goed, hij is voldoende eigenwijs om de raad soms voor te houden dat het anders moet en hij organiseert de zaken goed. Als hij er niet zou zijn verwordt de griffie tot een soort filiaal van het facilitair bedrijf. Een beetje de stroom papieren naar de raad sturen en dat soort dingen. En dat moet je niet hebben."
(Jan Oosterhof, burgemeester gemeente Kampen)

"Of je van toegevoegde waarde bent, heeft ook wel te maken met het bieden van zekerheid, de raadsleden het gevoel geven dat zij het goed doen.(…) Ik probeer periodiek de fracties te bezoeken, want ik wil weten wat er leeft, wat voor mensen daar in zitten. En ik wil vooral ook duidelijk maken dat ik er voor hen ben, om hen in hun functioneren als raad te versterken."
(Louis van Ameijden Zandstra, raadsgriffier gemeente Borger-Odoorn)

Verder blijkt dat de daadwerkelijke invulling van de griffierfunctie voor het grootste deel is overgelaten aan de benoemde griffier. En niet alleen het 'wat' en het 'hoe' is aan de griffier overgelaten, ook het afbakenen van zijn functie, het verwerven van een eigen positie is aan hem toevertrouwd. In veel gevallen is gekozen voor een interne kandidaat, iemand die bekend was met de geldende mores, iemand die wist hoe de hazen liepen en dus iemand met een laag risicoprofiel.

Het is opmerkelijk dat veel griffierfuncties zijn ingevuld als een try-out: 'laten we maar eens zien hoe het gaat'. Werkendeweg wordt dan gezocht naar een optimale functie c.q. een optimaal functionerende griffier. Opmerkelijk, omdat het binnen het duale systeem een essentiële functie is.

"Als ik naar de verhouding raad – college kijk, vind ik dat ik daar zelf wat tussenin zit. Dat geldt in feite ook voor de secretaris. We moeten het daar gewoon nog eens over hebben. In hoeverre moeten we daar nou een actievere rol in vervullen? Hoe kunnen we daar zowel richting raad als college meer vorm aan geven. (…) Je moet zelf ook in de spiegel kijken en zeggen: die raad komt er niet toe. Ligt er dan geen taak voor ons om in ieder geval initiatieven neer te leggen bij raad en college?"
(Bert Folbert, raadsgriffier gemeente Dongeradeel)

"Ik ben in staat over de rol van de raad heen te kijken en die rol in het perspectief van de hele organisatie te plaatsen. Ik voel mijzelf een procesgriffier."
(Toon Dashorst, raadsgriffier gemeente Deventer)

"En de kunst is (…) met name voor de griffier om die schakelfunctie goed te vervullen, met het ambtelijk apparaat en het college aan de ene kant en de raad aan de andere kant."
(Cor Drost, wethouder gemeente Hoogezand-Sappemeer)

"Ik vind de functie van griffier onvermijdelijk in een duaal systeem."
(René Paas, wethouder gemeente Groningen.)

"... er wordt grote toegevoegde waarde geleverd. Het is ook goed dat er nu een griffier is."
(Mevrouw Guusje ter Horst, burgemeester gemeente Nijmegen)

De komst van de griffier heeft de dubbelrol van de gemeentesecretaris opgelost. De griffier heeft met name een ondersteunende rol richting raad. Je zou kunnen zeggen dat de komst van de griffier een sterke impuls is tot professionalisering van de raad. Het functioneren van de raad zou er dus kwalitatief op vooruit moeten gaan.

Verder is het logisch dat, nu de taken van college en raad zijn ontvlochten, daar eigen functionarissen bij horen, respectievelijk secretaris en griffier (het is overigens aardig om vast te stellen dat de beloning van beide functionarissen steevast verschilt in het voordeel van de secretaris). Met andere woorden, het knippen van raad en college heeft als logische consequentie dat de ondersteunende en adviserende functie van de secretaris ook niet meer over beide gremia verdeeld kan blijven.

De verwachtingen ten opzichte van de griffiers zijn hooggespannen. In het algemeen kan worden vastgesteld dan van hen verlangd wordt dat zij de raad leren wat kaderstellend en controlerend is en hoe dat uitgewerkt en geprakti-seerd kan worden. Vraag is of ieder raadslid in staat is in kaders, dus in hoofd-lijnen of concepten te denken.

5

De resultaten van de invoering

5.1 Inleiding

Er is dus veel veranderd binnen het gemeentehuis, maar zijn de veranderingen schijn of werkelijkheid? Is het kwalitatief allemaal beter geworden? Zit de publieke tribune vol? Wordt er nu beter op de centen gelet, met als resultaat een beter financieel beheer? Of zijn na verloop van tijd de oude (politieke) verhoudingen hersteld? De wethouder mag dan formeel losgekoppeld zijn van de fractie, maar is dit ook werkelijk het geval? Is er geen informeel circuit ontstaan op basis van de vroegere werkverhoudingen?
Dit soort evaluatievragen kan terecht gesteld worden na een belangrijke structuuringreep als de invoering van het duale stelsel. Onze geïnterviewden hebben er vaak een duidelijke mening over. Laten we de potentiële verbeteringen eens langs lopen.

5.2 Is de raad kwalitatief beter gaan functioneren?

Het beeld dat we krijgen van het functioneren van de raad is zeer gemêleerd.

"Ga je verder over die volksvertegenwoordigende rol, dan zie je dat de raad eigenlijk nog te veel binnen is."
(Toon Dashorst, raadsgriffier gemeente Deventer)

"Men zit eigenlijk nog wat te worstelen met die volksvertegenwoordigende rol. Op welke manier gaan we die burgers nu raadplegen? Er is toch ook wel een aantal succesvolle acties ondernomen. (…) De tijd die ze moeten verdelen is erg beperkt. Ze hebben er vaak een volledige baan bij. Dan is het echt zoeken naar 'wanneer kunnen we wat doen?'"
(Bert Folbert, raadsgriffier gemeente Dongeradeel)

"Wel, als het proces uit tien treden bestaat, hebben we nu misschien één trede gehad. Dat heeft ook te maken met de behoefte van raadsleden om zich de nieuwe controle-instrumenten eigen te maken. Men wil zich wat zekerder gaan voelen. Dat zijn toch elementen die tijd vragen. We zijn dus nog wel even onderweg. Er is een ontwikkelingsgang uitgestippeld naar 2006, waarin in ieder geval de belangrijkste elementen aandacht krijgen, zodat die ook voor de periode na de verkiezingen in 2006 redelijk ontwikkeld zijn."

(Louis van Ameijden Zandstra, raadsgriffier gemeente Borger-Odoorn)

Dualisme leidt tot wanhoop in lokale politiek

LEEUWARDEN - Er heerst in de Friese gemeentepolitiek grote twijfel over het slagen van het dualisme, de politieke vernieuwing die twee jaar geleden werd ingevoerd. Het scheiden van de bevoegdheden van wethouders en raadsleden - bedoeld om de kloof tussen burger en politiek te dichten - drijft veel raadsleden tot wanhoop.

Raadsleden komen om in de papieren rompslomp, klagen over de werkdruk en hebben nauwelijks tijd om hun oor bij de bevolking te luister te leggen. Gemeenten blijken bovendien weinig creatief om burgers bij belangrijke beslissingen te betrekken.

Volgens politicologe Wietske van der Schaaf uit Aldeboarn regeert het cynisme in de Friese politiek. „Hebben we een vragenuurtje, komt er niemand. Dat soort opmerkingen hoor ik heel vaak." Raadsleden en wethouders kijken nog te veel naar elkaar, stelt Van der Schaaf.

Een groot aantal Friese wethouders voelt zich geïsoleerd in hun rol als uitvoerder van raadsbesluiten. Hoewel zij geen deel meer mogen uitmaken van de raad, blijken zij politieke kwesties toch regelmatig in 'achterkamertjes' door te praten met hun partijgenoten.

De meeste betrokkenen verwachten pas over zes tot acht jaar resultaten van het duale stelsel, en zelfs aan die voorspelling wordt getwijfeld. „Het kan nog alle kanten op. Iedereen is zoekende, het kan allemaal als een pudding in elkaar zakken", stelt burgemeester Peter de Jonge van Heerenveen.

Sneon & Snein: Dualisme: hoe doe je dat?

Bron: Leeuwarder Courant, 10 april 2004

"De cultuur is een beetje bijteriger geworden, want er moeten wel paaltjes worden geslagen in de nieuwe cultuur. (…) Het is volgens mij fundamenteel de vraag 'wie is er hier de baas' en daarmee is het in z'n essentie weer politiek geworden. Maar die vraag hadden we ook kunnen beantwoorden zonder de invoering van het dualisme. (…) Er staan onder het dualisme in de wet geen rechten en bevoegdheden van de raad, die niet onder het monisme konden worden gerealiseerd. Sterker nog, in een flink aantal gemeenten waren die al gerealiseerd."
(René Paas, wethouder gemeente Groningen)

"Nou, laat ik het zo zeggen. De raadsleden ervaren een hele hoop problemen, ook bij het handwerk dat ze nu moeten gaan doen dat voorheen door het college werd gedaan. Maar ik vind dat in onze gemeente wat dát betreft heel intensief en ook heel goed gebruik wordt gemaakt van de functie van de griffier. Die speelt daarin een belangrijke rol. En ik moet zeggen dat ook de voorzitter van de raad, de burgemeester, daar een bijzonder goede rol vervult, in voorlichtende en kennisoverdragende zin."
(Wout van Boggelen, directeur Burgerzaken en gemeentesecretaris gemeente Grootegast)

"De controlerende rol zie je sterker worden (…) De volksvertegenwoordigende rol was er natuurlijk ook al. Ieder raadslid moet z'n contacten hebben. Maar dat de raad dat zelfstandig als orgaan doet, dat komt niet uit de verf en dat is wel bedoeld in de wet. Wat je wel ziet, en dat is zeker een impuls geweest, is dat fracties zelf op zoek gaan naar de bevolking en daar thema's opspeuren. Maar de raad als geheel doet dat niet of nauwelijks."
(Hayo Apotheker, burgemeester gemeente Steenwijkerland)

"Dat de raad alleen maar met hoofdlijnen bezig mag zijn, dat is niet reëel, dat is onmogelijk."
(Peter de Jonge, burgemeester gemeente Heerenveen)

"De raad heeft geen tijd meer voor de volksvertegenwoordigende rol. De vergadertijd is toegenomen. De fixatie op de details is gebleven. En kaderstellend is men ook niet. Daarvoor is visie nodig, je uitspreken over de langere termijn. Daarmee maak je je ook kwetsbaar; iemand kan het met je oneens zijn. Dus hebben we het daar maar niet over."
(Mevrouw Annemieke van Vugt-Toonen, burgemeester gemeente Culemborg)

"Raadsleden moeten de professionaliteit hebben om zich met een groot aantal dingen niet te bemoeien. De grootste verandering, als je het over kwaliteit hebt, die bij raadsleden zou moeten worden doorgevoerd, is dat ze weer eens een keer wat gaan vinden. Dat maakt het debat spannend."
(Tjisse Stelpstra, gemeentesecretaris gemeente Midden-Drenthe)

De raad zit blijkbaar in een leerproces. Dat heeft echter veel minder te maken met een verandering in cultuur dan met het invullen van een nieuw beschreven functie. Er worden ander eisen aan een raadslid gesteld, die om andere competenties vragen.

Op dit moment is nog niet vast te stellen of de raad beter gaat functioneren. Men is nog teveel bezig met die veranderde functie, de andere positie en de regels en procedures.

5.3 Hoe zit het met de wethouders?

Zijn wethouders beter, dus effectiever gaan functioneren nu ze zijn afgesneden van hun fractie en een coalitie?

"De wethouders zijn scherper in het debat gaan zitten. Ik denk dat ze wat meer op hun qui-vive zijn als het gaat om de formulering van voorstellen en om de praktische uitwerking van de besluiten. Zo van: hoe doe ik dat, maar vooral ook, wanneer geef ik op welke plek informatie aan de raad".
(Jur Stavast, burgemeester gemeente Stadskanaal)

"Nee, ze komen allemaal uit het monistische stelsel. Met name in het begin hebben ze laten merken dat ze hun houvast kwijt waren, rugdekking vanuit de fractie misten, onzekerder waren geworden. Ik denk dat je straks een ander type wethouder krijgt. (...) en dan hoop ik dat er ook een goede profielschets voor wethouders wordt gemaakt. Die was er eigenlijk nooit. Iemand moest alleen politiek goed in de markt liggen. (…) Ik zou willen dat de partijen de wethouders op kwaliteit selecteren. Maar de aantasting van de rechtspositie van de wethouder waar nu aan gewerkt wordt maakt het vertrouwen in een stevige wethouder minder. Een wethouder die z'n rug recht houdt en naar huis wordt gestuurd, heeft weinig meer."
(Jan Oosterhof, burgemeester gemeente Kampen)

Het dualiteitenkabinet

"Nee."
(René Paas, wethouder gemeente Groningen)

"Nee."
(Mevrouw Guusje ter Horst, burgemeester gemeente Nijmegen)

"Nee. Ik bereid me altijd al naar mijn eigen gevoel goed voor en dat is zo gebleven."
(Wim Zwaan, wethouder gemeente Meppel)

1 ▶ Volgens Cees-Jan de Vet , verantwoordelijk voor het dualismerapport, wordt de positie van de wethouder niet alleen uitgehold, maar is er ook te weinig aandacht voor hem in het debat over de gekozen burgemeester.

Zeker, het dualismerapport over de wethouder mag en moet beschouwd worden als een signaal dat de politieke wethouder moet blijven. Daar windt de Leusdense burgemeester en voorzitter van de begeleidingscommissie vernieuwingsimpuls, Jan de Vet geen doekjes om. De commissie constateert niet alleen dat wethouders vinden dat hun positie wordt uitgehold, maar ook dat er te weinig aandacht is voor de wethouder in het debat over de gekozen burgemeester.

De Vet vindt dat geen goede ontwikkeling. Hij pleit voor een sterke wethouder en wel om twee redenen. Het doet recht aan de rol en de betekenis die de wethouder heeft gespeeld bij de ontwikkeling van de verzorgingsstaat en op het terrein van volkshuisvesting en ruimtelijk ordening. Bovendien is een sterke wethouder in het belang van een slagvaardig gemeentebestuur. Die wethouder moet geen hulpje worden van de gekozen burgemeester. 'Collegialiteit en gelijkwaardigheid is wezenlijk in de Nederlandse bestuursverhoudingen.'

Bron: Binnenlands Bestuur, 12 maart 2004

Op dit moment is het te betwijfelen of de wethouders, verantwoordelijk voor de uitvoering van het beleid, in die taak beter zijn geworden. En dat is wel de bedoeling. Door hen op pad te sturen met duidelijke doelstellingen, inclusief het bedrag dat ze voor het bereiken van die doelstelling mogen uitgeven, met de plicht om de raad te informeren als daarin iets misgaat én met een betere manier om verantwoording af te leggen, zou je mogen verwachten dat de wethouder in die rol effectiever wordt. Dat is op dit moment niet het geval. Daar lijkt ook nog geen zicht op te zijn. Ook bij de wethouders is de functiebeschrijving veranderd. Een wethouder wordt meer aangesproken op z'n managementkwaliteiten; op een to-get-the-things-done attitude. Die verandering wordt niet bewust scherp neergezet en de wethouders zijn er niet op geselecteerd. Ook hier is veel meer een verandering van vereiste persoonlijke competenties aan de orde dan het wennen aan een nieuwe culturele wind.

5.4 DE BURGEMEESTER DAN?

Zoals in het vorige hoofdstuk al naar voren kwam, lopen de burgemeesters die wij gesproken hebben niet weg met het duale stelsel. Het belangrijkste bezwaar is dat men voorzitter is van én de raad én het college, soms ook nog in combinatie met een of meer portefeuilles.

—

"Het is wel eens gebeurd dat ik de vice-voorzitter vroeg of hij het even over wilde nemen. Maar dat is voor alle partijen raar. De raad verwacht het niet en ikzelf eigenlijk ook niet. Ik zit daar toch primair als raadsvoorzitter. En dan denk je: "Verrek, ik moet dat stukje portefeuilleverdediging ook nog doen." Maar het liefst zou je dat dan aan een wethouder overlaten."

(Hayo Apotheker, burgemeester gemeente Steenwijkerland)

—

Je zou de huidige positie van de burgemeester ook kunnen zien als een geweldige kans. Als voorzitter van beide gremia kun je je kennis van de argumenten en gevoeligheden die binnen beide spelen, fantastisch subtiel tegen elkaar uit spelen. Voor iemand verzot op macht en intriges is dit the-place-to-be. Zo'n burgemeester hebben wij niet aangetroffen. Men ervaart de positie als niet gewenst en oncomfortabel. Een veelgehoorde mening: de raad moet z'n eigen voorzitter kiezen, de burgemeester hoort bij het college.

5.5 OUDE VERHOUDINGEN HERSTELD?

Zijn de veranderingen cosmetisch en is er gezocht naar het herstellen van oude en vertrouwde verhoudingen of zijn de veranderingen echt en heeft dit dus een zichtbare verandering opgeleverd? De wethouder mag formeel dan losgekoppeld zijn van de fractie, maar is dit ook werkelijk zo? Is er geen informeel circuit ontstaan op basis van de vroegere werkverhoudingen? Dit verschilt nogal per gemeente. In de meest 'lichte' vorm wordt een wethouder alleen door een fractie - dus niet persé de eigen - uitgenodigd, wanneer er een onderwerp uit de portefeuille van de wethouder besproken wordt. Bij de meest 'zware' vorm nodigen fracties de eigen wethouders standaard uit voor fractievergaderingen. Hier tussenin zitten allerlei varianten.

Na de invoering van het dualisme is er op een enkel geval na geen extra informeel circuit ontstaan. De communicatie-intensiteit en de communicatiestructuren lopen nogal uiteen.

———

"Je ziet na een beginfase, waarin rollen en piketpalen heel duidelijk zijn gedefinieerd, dat wethouders toch weer naar hun fracties toe kruipen. Ik heb daarbij verschillende patronen ontdekt. Er is een fractie waarbij de wethouders per definitie toch weer bij de fractie zitten en er zijn fracties waarbij de wethouder het eerste uur bij de fracties zit. Maar je ziet dat men elkaar toch weer opzoekt. En dat is ook logisch; heel begrijpelijk ook. Hier kon men na driekwart jaar horen dat wij spraken over samenwerkingsdualisme. Dat zegt genoeg denk ik, het woord zegt genoeg. Dat heeft te maken met het feit dat iedereen in de gaten heeft dat we wel onze problemen moeten oplossen. Er moeten wel dingen gebeuren. Dan kun je niet volstaan met gewoon tegenover elkaar blijven staan."
(Jan Mans, burgemeester gemeente Enschede)

———

"Zelf heb ik een bescheiden half uurtje of uurtje in de maand afstemming met de fractie op hoofdlijnen. Detailvragen op onderwerpen, waar in het verleden altijd sprake van was, zoals een collegepartij in de raad die het gemakkelijk vond om een wethouder te bevragen over allerlei zaken, dat vindt gewoon niet meer plaats. Wethouders zouden eigenlijk helemaal niet meer met hun fractie mogen overleggen, maar dat vind ik onzin. Dat gebeurt altijd en overal. Je wilt van je eigen fractie, maar net zo goed van andere fracties weten wat er leeft. Ik vraag andere fractievoorzitters vaak eens even in een informele setting hoe bepaalde dingen leven. Zeker bij zaken die op mijn beleidsterrein liggen. Gewoon om een mening even in te schatten als je met voorstellen komt. Die informele setting blijft ontzettend belangrijk. Als je het alleen van de vergadering moet hebben, dan werkt het niet."
(Frits Alberts, wethouder gemeente Borger-Odoorn)

———

"Bij onze fractievergaderingen zit de wethouder er standaard bij. Maar het is wel zo dat we, ondanks het feit dat de wethouder erbij zit en informatie verstrekt, nu toch veel meer als partij, als raadsleden, voelen dat we een andere verantwoordelijkheid hebben dan de wethouder. Datzelfde zie ik ook bij andere fracties. Wij volgen ons eigen spoor, dus wij informeren hen over en weer, maar we volgen wel onze eigen doelstellingen. Ik heb de indruk dat de andere coalitiepartij ook zo met zijn wethouders omgaat."
(Mevrouw Josefien Roek-Niemeijer, GB/VVD-fractievoorzitter gemeente Tubbergen)

"Er is hier tussen wethouders en coalitie met name informeel overleg ontstaan, meer dan het was. Hier wordt op maandag tussen een aantal fractievoorzitters en wethouders de collegeagenda van dinsdag bekeken, punt voor punt, dat gaat heel ver. Verder is er regelmatig overleg tussen de fractievoorzitters van de coalitie en de wethouders. Als burgemeester ben ik daar niet bij betrokken, dat zou ik ook niet willen. Ik word wel geïnformeerd. Ik vind het veel te hecht. Ik vind dat je als wethouder ook de collegestukken met eigen verantwoordelijkheid moet behandelen. Waar politieke gevoeligheden zijn, moet je natuurlijk wel kijken wat je politieke speelveld maximaal is, waar je zelf politiek speelveld ziet en waar je risico loopt voor je fractie, maar dat zijn één of twee onderwerpen op zo'n agenda en daar houdt het mee op. Voor de rest moet je gewoon zeggen: daar sta ik voor en dat doe ik niet met m'n fractie."
(Jan Oosterhof, burgemeester gemeente Kampen)

"Bij ons zijn de wethouders niet altijd bij de fractievergaderingen aanwezig. Ook bij hoorzittingen van de raad zijn ze niet per definitie aanwezig, dat gebeurt op uitnodiging. Wel zijn ze bij alle raadsvergaderingen aanwezig."
(Wout van Boggelen, directeur Burgerzaken en gemeentesecretaris gemeente Grootegast)

"In eerste instantie kwam het bijna niet meer voor. Vervolgens is er nog wel eens geadviseerd dat de fractievoorzitter met wethouders moest overleggen, zeker binnen de coalitie, want dat heeft toch ook wel z'n nut. Tussen fracties onderling vindt het overleg wel plaats, maar dat is ook even wennen geweest voordat dat liep. Ik heb de indruk dat het nu meer gaat komen."
(Jan Dirk Pruim, raadsgriffier gemeente Almere)

Het dualiteitenkabinet

"Bestuurders deden dat altijd al. Als je wilt overleven in de politiek is één ding belangrijk: zorg dat je niet uitglijdt. Dus als je een bananenschil op je af ziet komen, dan moet je wel zorgen dat je er zelf niet opstapt. Maar de verhouding met de fractie is veel losser geworden."
(Cor Drost, wethouder gemeente Hoogezand-Sappemeer)

Kortom: voor elk wat wils.

5.6 DE TOEGEVOEGDE WAARDE VAN DE GRIFFIER

Over de toegevoegde waarde van de griffier lopen de meningen nogal uiteen. In veel gemeenten is voor de eerste paar jaren iemand uit het ambtelijk apparaat gekozen om de griffierfunctie te vervullen. Dus iemand die weet 'hoe de hazen lopen' binnen de gemeente in kwestie. In enkele gemeenten is bewust gekozen voor een relatief zware persoon, bijvoorbeeld een ex gemeentesecretaris, van buiten af. Dit vanuit de optiek dat een goede griffier in processen moet kunnen denken en rolvernieuwend moet zijn. In één kleinere gemeente werkte men met een externe griffier om maar te voorkomen dat de griffier het sloofje van de raad zou worden.

"Doordat er nu een griffier zit, die periodiek met de verschillende fracties overleg pleegt over inhoud, processen en agenda's, kan ik vaststellen dat de collegeleden aanzienlijk minder als vraagbaak fungeren voor raadsleden en fracties. Het levert je persoonlijk veel tijd op."
(Frits Alberts, wethouder gemeente Borger-Odoorn)

"We hebben iemand van hoog niveau binnengehaald; ze is een academicus: een juriste en een pedagoge. Zij zit uitdrukkelijk op de ontwikkelingskant en daar heb ik af en toe gewoon last van. Dan voel ik haar hete adem in mijn nek. Maar ja, zo moet het wel."
(Rolie Groninger, gemeentesecretaris gemeente Achtkarspelen)

"Onze griffier is oud hoofd BZ. Niet de eerste de beste dus, maar dat heb je ook nodig denk ik. Hij is theoretisch goed en voldoende eigenwijs om de raad steeds weer voor te houden dat het anders moet. Hij organiseert de zaken ook goed. Als er geen stevige griffier zit, dan verwordt de griffie tot een soort filiaal van het facilitair bedrijf. Een goede stroom van papieren op tijd naar de raad en dat soort

zaken. En dat moet je niet hebben. Hij is iemand die met het proces bezig is. Hij adviseert dan ook stevig bij het omschakelproces naar de duale werkwijze."
(Jan Oosterhof, burgemeester gemeente Kampen)

─────

Griffiers die naast de inhoudelijke ondersteuning van de raad ook gefocust zijn op de wijze waarop de rollen vervuld worden scoren structureel hoger qua waardering dan hun collega's.

5.7 DE TEVREDENHEID / BETROKKENHEID VAN DE BURGER

De burgers. Om hen is het begonnen. Toch kun je eigenlijk nog niets zeggen over een meer tevreden of meer betrokken burger. Hier en daar worden initiatieven ontwikkeld om meer met burgers in contact te komen. Bijvoorbeeld door burgers te verzamelen rondom een onderwerp en dit te bespreken met bijvoorbeeld de verantwoordelijke wethouder. Ook worden burgers soms uitgenodigd om een vergadering bij te wonen.

─────

"Als ik naar de raadsvergaderingen zelf kijk, naar de mensen die daar op af komen, dan zijn dat alleen de belangenbehartigers. Die hebben nu in de gaten dat het misschien wel makkelijk is om eens wat vaker bij raadsfracties aan te kloppen. Die zie je nu dus wat meer bij vergaderingen. Maar de gemiddelde burger kijkt of hij zijn paspoort op tijd krijgt en of hij netjes behandeld wordt aan de balie. Ik denk dat het de burger niet opvalt dat het systeem waar nu voor gekozen is minder lijkt op achterkamertjespolitiek en gewoon transparanter is. Het gaat misschien nog wel jaren duren voordat men dat echt in de gaten heeft. Maar dan moet je wel een burger zijn die geïnteresseerd is in het reilen en zeilen van processen en niet iemand die alleen maar naar de output kijkt."
(Frits Alberts, wethouder gemeente Borger-Odoorn)

─────

"Ga hier maar eens op straat staan en vraag eens aan wat mensen 'dualisme, wat merkt u daar van?' Dan is de eerste reactie: "duawatte?"
(Henk ten Wolde, wethouder gemeente Hoogezand-Sappemeer)

─────

"We hadden altijd al een traditie dat we veel hoorzittingen organiseerden. Want wanneer is de burger geïnteresseerd? Als het om z'n eigen 'bricks' gaat, zeg maar. Maar als je probeert om mensen er op hoofdlijnen en beleid bij te betrekken…"
(Wim Zwaan, wethouder gemeente Meppel)

─────

"Het is natuurlijk verleidelijk om 'ja' te zeggen. Ik denk ook dat de burger meer betrokken is dan in het verleden, maar het is allemaal niet sensationeel. We hebben er zelf ook niets aan gedaan. We hebben een communicatieadviseur, maar geen communicatiebudget, dus we proberen met beperkte middelen wat te doen (…) We hebben een soort conceptreglement over activiteiten geschreven richting de burger. Breng 50 handtekeningen bij elkaar voor een bepaalde activiteit en u krijgt uw activiteit. We hebben hier nog niet echt PR voor bedreven. Ik zou me kunnen voorstellen dat als we dat wel doen, er flink wat mensen zullen zeggen: 'Oh, wacht eens even, hier heb ik 50 handtekeningen, dit is het onderwerp en daar gaan we het nu eens even over hebben.' Je moet daar wel randvoorwaarden aan verbinden. Je hebt burgers die daar hartstikke slim in zijn. Die maken prachtige raadsvoorstellen met bewegende Power Point presentaties, mooier dan wij het kunnen. Maar er zitten natuurlijk grenzen aan de hoeveelheid activiteiten die we aan kunnen."
(Jan Dirk Pruim, raadsgriffier gemeente Almere)

"Mijn gevoel is dat het zich langzamerhand wat zal ontwikkelen. Zo voorzichtig breng ik het maar. Ondernemers hebben rechtstreeks contacten met de ambtenaren. Of ze nu de publieke tribune meer gaan bevolken of in gaan spreken op vergaderingen. (…) De grote gemeenten lijken ontoegankelijk. Ze hebben anderzijds wel de expertise in huis, vind ik, om haar dienstverlening richting de ondernemers goed te organiseren. Ik vind dat een gemeente als Groningen daar de laatste jaren echt stappen in heeft gezet, het ondernemersloket, de economische afdeling… Daar zit gewoon wel beweging in. Kleinere gemeentes hebben de ambtelijke organisatie meestal niet om dat zo te organiseren. Ze zijn er niet op toegerust. Het voordeel van de kleinere is wel, en dat is een heel groot voordeel, de laagdrempeligheid. Kleinere gemeentes zijn beter in staat de behoeftes van de ondernemers te peilen als ze dat willen. Waar het om gaat is: ondernemers en gemeenten moeten beseffen dat ze elkaar nodig hebben. Onze ervaring is dat je vaak te maken hebt met twee talen. MKB-Noord wil ondernemers en gemeenten helpen bij het vertalen…"
(Auke Oosterhoff, regiomanager MKB Noord)

"Mijn inschatting is dat de burgers per saldo erg teleurgesteld zijn. Als mensen bij een raadsvergadering komen of een commissievergadering, dan is de vergadering net als vroeger en dan snappen ze er ook nog niet al te veel van. Ze hebben het gevoel dat het niet over hen gaat. Voor ze het weten staan ze weer buiten de deur. Er is helemaal geen sprake van debat."
(Gerke Jager, directeur Dienst Ontwikkeling, gemeente Assen)

"De interesse van burgers in politiek wordt groter naarmate de onderwerpen de eigen woonomgeving dichter raken. Dat is in Apeldoorn net als in andere gemeenten. Dat is ook de reden dat we een wijkgerichte aanpak hebben, bestuurlijk én ambtelijk. Onze bestuurders kennen de problematiek in wijken en dorpen in hun volledige samenhang. Ze zijn daar ook vaak aanwezig. Maar dat gebeurde ook al voor de invoering van het duale stelsel."
(Klaas Dekker, gemeentesecretaris gemeente Apeldoorn)

"Nou, kijken naar de tevredenheid van de burger heeft geen mallemoer te maken met dualisering. Het zal de burger worst zijn, even grof gezegd, hoe wij dat geregeld hebben. Waar het om gaat is dat die burger zich aangesproken moet voelen door wat de politiek doet. Of andersom, dat de politiek ook rekening houdt met wat de burger wil. Dan zie je, overigens in het hele land, dat de burger daar over het algemeen niet zo verschrikkelijk ontevreden over is. Kijk maar naar allerlei metingen die gaan over wachttijden aan loketten of het verstrekken van paspoorten. Ik denk dat de tevredenheid van de burgers over die vormen van dienstverlening best mee valt. (…) Het is heel vervelend als de burger z'n zin niet krijgt, maar het is vele malen erger als hij dat veel te laat of geheel ongemotiveerd hoort. Daar moet aandacht aan geschonken worden, los van de dualisering. Dualisering kan helpen over vormen na te denken, maar is daar niet verantwoordelijk voor. Interactief beleid is niet pas begonnen na de invoering van het dualisme. Nee daar waren we al jaren mee bezig."
(Arjen Mewe, gemeentesecretaris gemeente Emmen)

Het lijkt erop dat bij het duale stelsel de energie vooral naar binnen is gericht. Ondanks allerlei pogingen, waarvan sommigen echt succesvol, om de burger meer te betrekken bij het besturen van de stad, zijn veel geïnterviewden somber over de totale resultaten.

Is deze somberheid terecht? Moeten bestuurders zich neerleggen bij de desinteresse van de burger als gevolg van een zich doorzettend individualisme?
Op het moment van schrijven presenteert het Sociaal en Cultureel Planbureau 'In het zicht van de toekomst: sociaal en cultureel rapport 2004'. Hierin staan enkele opmerkingen over de relatie burger en politiek.

Er zijn aanwijzingen dat het percentage vrijwilligers sinds halverwege de jaren negentig enigszins terug aan het lopen is, vooral in de jongste leeftijdsgroep. Vanuit het middenveld zelf nemen uiteenlopende organisaties een toename van het percentage passieve leden waar. Die slinkende animo voor actieve betrokkenheid raakt vooral organisaties die gedragen worden door veel gezamenlijke inzet van de leden, zoals sportverenigingen, vrouwenbonden, politieke partijen, kerken.[1]

De partijpolitieke organisatiegraad was ook aan het begin van de geanalyseerde periode al zeer gering, maar uit de tabel blijkt dat de meeste partijen er sinds de jaren tachtig nog minder in slagen leden aan zich te binden. Eind jaren zeventig was 5% van het electoraat aangesloten, in 1986 was dit 4%, in 2002 nog slechts 2%. Ook de Nederlandse kiezersonderzoeken laten zien dat de partijpolitieke participatie daalt, vooral onder hoogopgeleiden en leden van maatschappelijke organisaties. Dat wil zeggen dat de partijpolitiek krimpt bij een moderniseringsvoorhoede en haar verankering verliest in het maatschappelijk middenveld (Dekker 2000: 89).[2]

Steeds minder functioneren ze (de politieke partijen, red) als bemiddelende instanties tussen beide, gefixeerd als ze zijn op de toegang tot het staatsbestuur, en ten slotte vormen ze nog slechts een onderdeel van het staatsapparaat. Dit geeft vervolgens tegenkrachten de wind in de zeilen in de vorm van politiek cynisme, anti-establishment sentimenten, politiek populisme en de opkomst van antipartijen (Katz en Mair 2002).[3]

Laten we eens de voorlopige conclusie trekken dat het de burger niet kan schelen hoe de gemeente z'n zaakjes regelt, als het maar geregeld wordt. Achteraf, vooral als er besluitvorming is geweest die individuen of groepen onwelgevallig is, wenst men wel dat het college en/of de raad uit komt leggen waarom het is gegaan zoals het is gegaan. Alleen een kleine groep liefhebbers geniet van het politieke debat. De meeste burgers zijn vooral geïnteresseerd in het resultaat. Daar liggen dus kansen. Een raad die heldere doelen weet te stellen (door gewenste (maatschappelijke) effecten van het beleid te beschrijven), voortdurend controleert of 'we nog op koers liggen' en deze tussentijdse resultaten én het eindresultaat helder communiceert, heeft de meeste kans op een tevreden burger.
Met burgers overleggen wat gewenste doelen zijn, wanneer deze gehaald moeten worden, wat het mag kosten en hoe zij geïnformeerd willen worden, zijn taken van de raad. Is het een versterking van de lokale democratie als je daar grote groepen mee bereikt? Geen idee. Maar je biedt op deze manier in ieder geval tegenwicht aan het beeld van achterkamertjes, gekonkel en onbetrouwbaarheid.

5.8 Zijn de door de commissie Elzinga gesignaleerde problemen opgelost?

De ondoorzichtige en onaantrekkelijke gemeentepolitiek

———

"Nee, nog niet. De besluitvorming staat nog steeds onder regie van het college. Op die manier is het voor de doorsnee burger niet te begrijpen waarom een besluit wordt genomen. Maar op andere onderdelen denk ik wel dat het wat doorzichtiger is geworden, of dat daar aanzetten toe zijn gegeven."
(Toon Dashorst, raadsgriffier gemeente Deventer)

———

"Ik heb het idee, en dat is puur gevoelsmatig, dat de gemeenschap redelijk betrokken is bij wat de gemeente doet. Ik heb niet de indruk dat die betrokkenheid als gevolg van de herindeling is afgenomen. Nee. Of die ook gegroeid is kan ik niet taxeren."
(Louis van Ameijden Zandstra, raadsgriffier gemeente Borger-Odoorn)

———

"Ja, de onzichtbare politiek, de lage opkomst… Voor mij is het niet de essentie van dualisering om het aantal mensen op de publieke tribune te vergroten. Voor mij is de essentie dat twee bestuursorganen een helder spel met elkaar spelen. Maar het is wel bedoeld om het levendiger te maken en dat kan ook."
(Hayo Apotheker, burgemeester gemeente Steenwijkerland)

———

> Dualisering leidt nu al tot een levendiger politiek debat in en buiten de raadszaal. De tendens is zichtbaar dat burgers zich meer betrokken voelen bij het debat en de besluitvorming in het lokale parlement. En dat hadden we toch voor ogen toen we besloten dat er een nieuwe gemeentewet moest komen. Daarom niet terug naar het oude monistische systeem, maar met volle kracht vooruit op weg naar een volwassen duale gemeentepolitiek.
>
> R. Bandell, A. Jorritsma, A. van Vliet-Kuiper, en J. Wallage zijn burgemeesters van respectievelijk Dordrecht, Almere, Amersfoort en Groningen.

Bron: NRC,
6 april 2004

Het dualiteitenkabinet

Het probleem van de meerdere petten van de raad: bestuurder en controleur tegelijkertijd

"Ja, dat is opgelost."
(Jur Stavast, burgemeester gemeente Stadskanaal)

"Ik zie dat de raadsleden de onderwerpen net zo hard mee bestuderen, terwijl ze daar helemaal niet voor zijn. Dat is ook heel begrijpelijk, ze worden er namelijk op straat over aangesproken. De uitvoering is aan het college overgelaten. Dat willen ze eigenlijk ook best graag, maar aan de andere kant is het ook leuk, heel concreet. Als je op straat zegt: 'Ja luister eens, ik ga alleen over de hoofdlijnen…', dat kun je als volksvertegenwoordiger gewoon niet maken."
(Jan Mans, burgemeester gemeente Enschede)

"Ja, dat is veel beter, de scheiding is strakker geregeld."
(Henk ten Wolde, wethouder gemeente Hoogezand-Sappemeer)

Het slecht in beeld zijn van de politieke partijen en de raad

"Dat wordt beter. Het komt steeds beter uit de verf, dat is waar. Maar dat had in het oude systeem ook gekund. Het nieuwe systeem biedt wel nieuwe instrumenten voor de raad, dat werkt wel mee in de goede richting."
(Wim Zwaan, wethouder gemeente Meppel)

"Ik ben nu, na twee jaar, positief. Ik roep steeds dat 80% over hoofdlijnen gaat. 20% is quick service, de waan van de dag. Die stoeptegel komt ineens op, is ineens een politiek item. Dan is het onze taak om die stoeptegel op te lossen en weer terug te keren naar de hoofdlijn. Zolang zaken op detailniveau niet de overhand nemen moet je er ook niet moeilijk over doen."
(Jan Dirk Pruim, raadsgriffier gemeente Almere)

Kortom, er zijn duidelijke stappen vooruit gemaakt. Met name binnen het gemeentehuis zijn meer heldere lijnen getrokken. Veruit de meeste betrokkenen duiden dit positief. Of de burger hier iets van merkt hebben wij niet vast kunnen stellen.

5.9 En nu?

———

"Als eerste aandachtspunt zie ik het verhelderen van de onderlinge verhoudingen tussen fracties onderling en fracties en het college. En twee, het heel snel helder krijgen van wat nou eigenlijk de volksvertegenwoordigende rol is en hoe je die oppakt voor a) de fractie en b) de raad. In die volgorde."
(Jur Stavast, burgemeester gemeente Stadskanaal)

———

"Niet meer veranderen, geen structuurdiscussies meer. Op dit moment gaat het alleen maar om investeren in mensen. Investeren in zittende raadsleden en communiceren naar de bevolking wat een gemeentebestuur nou betekent. Verder proberen wat nieuwe krachten los te krijgen die er voor gáán. Het gaat om de poppetjes die het spel spelen. Die structuren vind ik eigenlijk maar bijzaak."
(Jan Oosterhof, burgemeester gemeente Kampen)

———

"Het dualistisch werken moet kunnen groeien en bloeien, zodat je precies kunt zien waar je als tuinman moet snoeien of bijsturen. Hoeveel tijd daarvoor nodig is weet ik niet. Ik denk dat er tenminste één keer verkiezingen moeten zijn geweest, ook omdat de selectie van kandidaat-bestuurders nu anders zal zijn dan bij de vorige verkiezingen."
(Klaas Dekker, gemeentesecretaris gemeente Apeldoorn)

———

"Gewoon doorgaan. Proberen de goede dingen in het dualisme uit te vergroten en de wat minder goede effecten ervan, met name het lijnrecht tegenover elkaar willen staan, proberen in de hand te houden."
(Rolie Groninger, gemeentesecretaris gemeente Achtkarspelen)

———

"De aanpassing van de wet- en regelgeving op landelijk niveau. We hebben natuurlijk prachtige verhalen gehoord van het Rijk en van de minister bij de start van de dualisering. Het één moest nog sneller dan het ander. Je moest bij wijze van spreken vandaag uitvoeren wat in de Staatscourant van morgen stond. Nou, dat hebben we als gemeente allemaal gedaan. Daarbij hebben we de toezegging gekregen dat voor zover er nog aanpassingen nodig waren in landelijke wet- en regelgeving omtrent de toe te bedelen bevoegdheden, die ook snel zouden komen. Ik moet helaas constateren dat veel van wat daar toen is geroepen nog steeds niet geïmplementeerd is."
(Arjen Mewe, gemeentesecretaris gemeente Emmen)

———

Het dualiteitenkabinet

"Een evaluatie is heel hard nodig. Wat hebben we met elkaar afgesproken, hoe staat het nu en rendeert het al. En dan met name de laatste vraag. Ik denk dat het in nogal wat gemeenten heel veel geld heeft gekost, maar dat het verwachte rendement niet zichtbaar is. Het echte knelpunt is dat je als gewoon raadslid te weinig tijd hebt om de rollen goed in te vullen en dat er niet wordt gekozen in de raad of niet kan worden gekozen. Ik krijg het gevoel dat het voor het gemiddelde raadslid ingewikkelder is geworden, dus minder aantrekkelijk."

(Gerke Jager, directeur Dienst Ontwikkeling, gemeente Assen)

"Dat hangt voor mij heel erg af van wat er gaat gebeuren met de gekozen burge-meester. Wordt het een rechtstreeks door de bevolking gekozen burgemeester? Ja, dan krijg je hele nieuwe afwegingen in mijn ogen, hele nieuwe positiebepalingen. Want wat is dan het college, wat is dan de raad. Daar durf ik nog niets van te zeggen."

(Toon Dashorst, raadsgriffier gemeente Deventer)

Door de dualisering controleert de gemeenteraad het College. Het College van B&W is op haar beurt verantwoordelijk voor de beleidsvoorbereiding en uitvoe-ring. Geloof me; ik kom nog vaak volstrekt honorabele wethouders en burgemees-ters tegen die terugverlangen naar de oude situatie. Vanaf enige afstand lijkt me een stevige vorm van procesbegeleiding geen overbodige luxe. De weg naar een politiek hoofdpijndossier ligt nog altijd binnen handbereik.

(Hans Haerkens, algemeen secretaris VNO-NCW Noord)

6

Impact van de gekozen burgemeester

"Het gaan van hier naar daar; dat is de geschiedenis van een ieder van ons."
(Henry David Thoreau)

6.1 Inleiding

Omdat de gekozen burgemeester, in welke vorm dan ook, door velen als de 'grande finale' van de invoering van het duale stelsel wordt beschouwd, hebben we onze interviews steeds met dit onderwerp afgesloten. We hebben de geïnterviewden gevraagd wat naar hun mening de impact zou zijn van een gekozen burgemeester op het functioneren van het duale stelsel. Vanwege de actualiteit van de gekozen burgemeester wijden we een apart hoofdstuk aan dit fenomeen.

Omdat op het moment dat wij de interviews afnamen nog geheel niet bekend was óf er überhaupt een gekozen burgemeester ging komen, en indien wel, in welke vorm, bestonden de antwoorden meestal uit een of enkele uitgesproken statements en een aantal bespiegelingen omtrent mogelijke scenario's.

Op het moment dat we dit hoofdstuk schrijven, in de tweede helft van november 2004, is een aantal zaken inmiddels duidelijker geworden. Op 5 november heeft de tweede kamer namelijk een voorstel goedgekeurd voor een grondwetswijziging die de gekozen burgemeester mogelijk maakt. Tegelijkertijd zijn een aantal wetsvoorstellen ingediend waaruit duidelijk wordt welke kant het op zal gaan met die gekozen burgemeester als het aan het kabinet Balkenende ligt. Bedenk wel dat het op dit moment nog steeds niet zeker is dat de gekozen burgemeester er daadwerkelijk gaat komen. De eerste kamer moet immers nog instemmen met de voorgestelde grondwetswijziging. Ook de manier waarop de burgemeester gekozen gaat worden is verre van zeker. Naast de voorstellen van het kabinet, waarin gepleit wordt voor een direct door de burgers gekozen burgemeester, is er een tegenvoorstel van de PvdA aangekondigd dat uitgaat van een burgemeester die door de gemeenteraad gekozen wordt. Voor ons is er dus nog onzekerheid alom. We beseffen ook dat de actualiteit dit boek snel in kan halen. Dit maakt de meningen van de geïnterviewden echter niet minder interessant.

De eerstvolgende paragraaf is gewijd aan de uitgesproken statements die we tijdens de interviews te horen kregen. De wetsvoorstellen die op 5 november zijn ingediend en de bespiegelingen ten aanzien van het scenario dat uit deze voorstellen voortkomt, hebben we in de daaropvolgende twee paragrafen uitgewerkt. Een indruk van andere scenario's die besproken zijn en de bespiegelingen daaromtrent zijn te vinden in bijlage 4.

6.2 Uitgesproken meningen

Laten we beginnen met de opmerking dat er op het punt van de gekozen burgemeester geen sprake is van een algemeen geldende opinie. Er zijn duidelijke voor- en tegenstanders. Wat wel opvalt, is dat de geïnterviewde raadsleden, griffiers, gemeentesecretarissen en directeuren van diensten qua opinie opvallend op één lijn zitten. Daarom beginnen we met hun meningen.

Raadsleden, griffiers, gemeentesecretarissen en directeuren van diensten

Onafhankelijk van de vraag of deze geïnterviewden voor of tegen een gekozen burgemeester zijn, is men van mening dat deze er uiterlijk 2010 wel zal zijn. Nagenoeg unaniem vindt men dat de burgemeester dan door de raad, of uit de raad gekozen moet worden. Belangrijkste argumenten hiervoor zijn:

- dat er in dat geval géén sprake is van twee op democratische wijze tot stand gekomen programma's (van de raad én van de burgemeester) die wellicht sterk uiteenlopen. Wanneer dit wél het geval wordt, voorzien de geïnterviewden dat er erg veel tijd en energie besteed gaat worden aan de vraag wie het primaat heeft: de democratisch gekozen burgemeester, of de op democratische wijze tot stand gekomen gemeenteraad.
- dat verkiezing door de raad voorkomt dat 'gelegenheidspassanten' tot burgemeester gekozen worden. De algehele afkeer van dit type passanten berust enerzijds op de vrees dat dit soort heren (er worden nooit dames als voorbeeld aangehaald (!)) in veel gevallen niet capabel zullen zijn. Anderzijds wil men ook waken voor een gebrek aan integriteit van de gekozen burgemeester. Opvallend is dat veel raadsleden het in dit verband vaak over 'kapitaalkrachtige types' hebben.

"*Als er een rechtstreeks door de bevolking gekozen burgemeester komt, zitten er twee organen met een mandaat. Dat gaat in mijn ogen tot een behoorlijke strijd leiden.*"
(Toon Dashorst, raadsgriffier gemeente Deventer)

"*Ik denk dat je een burgemeester uit de raad moet kiezen. Als dat niet haalbaar blijkt, dan moet je het misschien wel laten voor wat het is. Anders krijg je volgens mij een hele instabiele overheid.*"
(Louis van Ameijden Zandstra, raadsgriffier gemeente Borger-Odoorn)

"*Als er al een gekozen burgemeester moet komen, vind ik dat die uit de raad gekozen moet worden. Dan koppel je het toch aan politiek en ook aan een programma. Je krijgt dan niet, wat men nu steeds roept om het bestaande systeem te legitimeren, dat de burgemeester boven de partijen moet staan. Dat vind ik zo'n ouderwetse gedachte. Waarom moet de burgemeester nou boven de partijen staan? Dat vind ik een minachting van onze parlementaire democratie en ons democratisch veld. Als Den Haag zelf model moet staan voor de duale gemeente, waarom zouden we de burgemeester dan niet op dezelfde manier aanstellen als de minister-president?*"
(Rolie Groninger, gemeentesecretaris gemeente Achtkarspelen)

"*Er zitten enorme risico's aan dit gebeuren en die risico's zijn voor een heel belangrijk deel uit te bannen door de burgemeester uit de raad te kiezen.*"
(Wout van Boggelen, directeur Burgerzaken en gemeentesecretaris gemeente Grootegast)

"*Iemand met veel geld en een goede propagandamachine, die ook nog eens goed ligt bij de bevolking, hoeft nog geen goede bestuurder te zijn. Ik vind dat een heel zwaar risico en of de bevolking en de gemeente daarbij gebaat zijn, vraag ik mij af.*"
(Mevrouw Josefien Roek-Niemeijer, GB/VVD-fractievoorzitter gemeente Tubbergen)

"*De raad kan natuurlijk de burgemeester wegsturen. Maar wat voor zooitje is het dan al? En wie zijn daar de dupe van? De ambtenaren en de inwoners.*"
(Mevrouw Joke Wondergem-Nieuwenhuizen, CDA-raadslid gemeente Noordoostpolder)

Wethouders

Ook de wethouders maken zich zorgen over de kwaliteit en de integriteit van een direct door de bevolking gekozen burgemeester. Slechts een enkeling spreekt echter zijn voorkeur uit voor een systeem waarbij de burgemeester door de raad of uit de raad gekozen wordt. Wat de wethouders verder bezig houdt zijn de machtsverhoudingen binnen het lokaal bestuur, niet alleen de verhouding tussen het college en de raad maar ook de verhoudingen binnen het college.

——

"Ik ben geen aanhanger van de typische D66-theorie dat een besluit deugt als het proces goed is geweest. Dus niet elk besluit dat democratisch tot stand gekomen is deugt omdat het democratisch tot stand is gekomen. Niet elke vent die wordt gekozen wordt op een onberispelijke manier, deugt omdat hij is gekozen op een onberispelijke manier. De democratie heeft een paar kwetsbare kanten en dit is er een van."

(René Paas, wethouder gemeente Groningen)

——

"Je krijgt op een gegeven moment mensen waarvan ik zeg: hebben die wel de capaciteiten om burgemeester zijn, om de verantwoordelijkheid van een gemeente te dragen. Het moet toch niet zo zijn dat we hier straks Swartzeneggertjes als burgemeesters krijgen."

(Henk ten Wolde, wethouder Hoogezand-Sappemeer)

——

"Ik heb geen idee welke macht de gekozen burgemeester toebedeeld krijgt. Het zou misschien wel een keer goed zijn als er iemand kwam die wat meer zeggenschap zou krijgen. Ik vind dat alles nu over te veel schijven gecommuniceerd moet worden, dat er veel te veel meningen gepeild moeten worden. We zoeken nooit de beste oplossing, maar we zoeken de oplossing die voor de meesten acceptabel is. Dat is lang niet altijd de beste oplossing."

(Alwi Pompe, wethouder gemeente Lochem)

——

"Het kan niet zo zijn dat de burgemeester omdat hij gekozen is zijn wil kan opleggen aan colleges en raden en een grotere legitimiteit heeft dan bijvoorbeeld zijn wethouders."

(Cor Drost, wethouder gemeente Hoogezand-Sappemeer)

——

Het dualiteitenkabinet

Burgemeesters

Last but not least de burgemeesters zelf. Over de vraag of ze mee willen doen en zo ja hoe, hebben zij zeer uitgesproken meningen.

"Als ik dan nog steeds voorzitter van zowel het college als de raad ben, doe ik niet mee. Het dubbele voorzitterschap is in een gekozen positie helemaal niet meer uitvoerbaar. Iedere club kiest toch z'n voorzitter uit de eigen leden, of men benoemt een onafhankelijk voorzitter. Ik ben geen lid van de raad, maar kan ook geen onafhankelijk voorzitter zijn. Je hebt immers campagne gevoerd en dat betekent dat je in ieder geval een aantal items hebt waarop je je wilt profileren. Dat vraagt gewoon om herrie en conflicten in gemeenteland."
(Jan Oosterhof, burgemeester gemeente Kampen)

"Ik ben voor een volstrekt presidentieel stelsel: mijn eigen wethouders benoemen, mijn eigen gemeentesecretaris benoemen en met een eigen programma komen. En dan tegen de raad zeggen: dit wil ik gaan doen en wel met deze ploeg, hebt u daar vertrouwen in?"
(Jur Stavast, burgemeester gemeente Stadskanaal)

Ook over de vorm van de verkiezingscampagne en de rol van de lokale politiek daarin zijn de meningen duidelijk. En over outsiders die zullen scoren:

"Ja, natuurlijk zullen er gemeentes in Nederland zijn waar outsiders burgemeester gaan worden. Die zijn minder gepokt en gemazeld in het gemeentelijke bedrijf en dus duurt het een paar jaar voor ze weten hoe de hazen lopen. Maar denk je nou echt dat de zaak vastloopt als Riemer of Foppe hier als burgemeester gekozen worden? Die zullen zich daar wel mee redden. Bovendien denk ik dat de ambtelijke organisatie altijd de stabiele factor in het bestuur zal zijn."
(Peter de Jonge, burgemeester gemeente Heerenveen)

"Ik geloof heel erg in de kritische functie van de periode tussen de kandidaatstelling en de verkiezing zelf. Met een vrij hard mediacircus, waarin ook de raad en de partijen zich niet onberoerd laten tijdens fora en oploopsessies etc."
(Hayo Apotheker, burgemeester gemeente Steenwijkerland)

6.3 De wetsvoorstellen van het Kabinet

Bij het schrijven van dit hoofdstuk hebben we vaak gedacht aan Swiebertje. En dan natuurlijk vooral aan de burgemeester die de scepter zwaaide in het denkbeeldige dorpje waar onze zwerver z'n domicilie had. Dat waren nog eens tijden. Een deftige burgemeester, dagelijks gekleed in slipjas en ketting, terzijde gestaan door een barse veldwachter met snor en zwaard. Gezamenlijk mans genoeg om het dorp te besturen. Deze burgemeester, door alle burgers erkend en herkend als 'de baas', was het focuspunt van de gemeente. Als je iets op je lever had moest je bij hem zijn. Hij regelde alles, en iedereen ging er van uit dat hij een goede afweging zou maken tussen individueel en groepsbelang. Hij was verstandig genoeg om naast korte termijneffecten ook de lange termijn niet uit het oog te verliezen. Zijn autoriteit was onbetwist. Hij was verstandig en wijs. Bestaan ze nog, dit soort edelachtbaren?

De burgemeester die het Kabinet Balkenende voor ogen heeft, vertoont weliswaar trekjes van dit stereotype, maar heeft ook andere kwaliteiten getuige de onderstaande berichtgeving van het ministerie van Binnenlandse Zaken.

Wetsvoorstellen gekozen burgemeester bij de Tweede Kamer ingediend
5 november 2004

De ministerraad heeft – op voorstel van de ministers De Graaf (BVK) en Remkes (BZK) – ingestemd met de indiening bij de Tweede Kamer van de wetsvoorstellen over de direct gekozen burgemeester. De Raad van State heeft onlangs over de voorstellen geadviseerd.
De democratische betrokkenheid van de burger bij de samenstelling van het lokale bestuur vormt een belangrijk punt voor het kabinet om de gekozen burgemeester in te voeren. Evenzeer staat voorop dat de positie van de burgemeester binnen het lokale bestel moet worden versterkt, om de slagvaardigheid van het lokale bestuur te vergroten. Hoewel de burgemeester door de bevolking als de belangrijkste plaatselijke bestuurder wordt gezien, heeft hij in de praktijk te weinig middelen om zijn coördinerende rol inhoud te geven. Als de burgemeester meer bevoegdheden krijgt, moet hij ook over een zwaardere legitimatie beschikken. De huidige benoemingsprocedure kan die niet bieden en is bovendien tot een ondoorzichtige procedure verworden. Alleen een rechtstreekse verkiezing kan daarin voorzien. Op verzoek van de Raad van State heeft het kabinet nog eens uiteengezet waarom de burgemeester voortaan niet meer benoemd, maar gekozen zal worden door de burgers.

Het dualiteitenkabinet

De Raad van State geeft expliciet aan dat de voorstellen in overeenstemming zijn met het grondwettelijk vastgelegde hoofdschap van de raad. Ook onderschrijft de Raad het aangekondigde voorstel tot herziening van de Grondwet op het punt van het raadsvoorzitterschap, nu het sinds de dualisering van het gemeentebestuur al minder vanzelfsprekend is dat de burgemeester voorzitter van de gemeenteraad is.

Op advies van de Raad van State zijn in de wetsvoorstellen verschillende wijzigingen aangebracht. Zo is er voorzien in een mogelijkheid voor burgemeesters die bij een tussentijdse verkiezing zijn gekozen, bijvoorbeeld omdat de vorige burgemeester ontslag heeft genomen, een nieuw college te formeren. Ook zal de zittende burgemeester niet op de eerste plaats op het stembiljet worden vermeld, maar zal hij met de andere kandidaten moeten loten voor een plek op het stembiljet.

De Raad van State is van oordeel dat een zorgvuldige invoering van de gekozen burgemeester in 2006 mogelijk is, mits de wetgeving medio 2005 wordt vastgesteld. Voor een gefaseerde invoering die aanknoopt bij het einde van de benoemingstermijn van de zittende, benoemde burgemeesters, ziet de Raad geen aanleiding.

Het kabinet streeft ernaar om de burgers nog voor het eind van deze kabinetsperiode, tegelijk met de gemeenteraadsverkiezingen in 2006, hun burgemeester te laten kiezen. Bij de behandeling van de wetgeving zal met de Tweede Kamer nog gesproken worden over de vraag of invoering in 2006 in alle gemeenten zal plaatsvinden. Het kabinet heeft al eerder aangegeven dat een gefaseerde invoering, deels in 2006, deels in 2010, het enige mogelijke alternatief voor invoering ineens in 2006 is.

Met de invoering van de gekozen burgemeester krijgt de Nederlandse bevolking voor het eerst de mogelijkheid de burgemeester rechtstreeks te kiezen. Hiermee krijgen burgers directe invloed op de manier waarop de gemeente taken uitvoert. Het kabinet kiest voor een stelsel dat past binnen de Nederlandse verhoudingen. Dat betekent handhaving van het collegiaal bestuur en daarnaast het toekennen van een beslissende stem aan de volksvertegenwoordiging.

De gekozen burgemeester die het kabinet voor ogen staat zal optreden als 'lokaal regeringsleider'. Hij zal als formateur van het college een centrale rol krijgen bij de collegevorming. Hij zal in de formatie een basis proberen te vinden voor de uitvoering van een collegeprogramma waarin voor hem belangrijke punten uit zijn eigen verkiezingsprogramma herkenbaar terugkomen. Hij verdeelt de portefeuilles en draagt de wethouders voor benoeming voor bij de raad. Hij kan de raad voorstellen een wethouder te ontslaan. Het wetsvoorstel voorziet in een conflictenregeling. Uiteindelijk kan de gemeenteraad de burgemeester ontslaan wanneer er onverhoopt

sprake mocht zijn van een onwerkbare verhouding tussen de burgemeester en de raad. Ook kan de raad tot ontslag overgaan bij handelen of nala-
ten van de burgemeester dat onverenigbaar is met een integere vervulling
van het ambt. Deze conflictregeling is een zware procedure; voor ontslag
door de raad is een tweederde meerderheid van de raad een vereiste. De
conflictenregeling is een vangnet, en is uitdrukkelijk niet bedoeld voor de
beslechting van 'gewone' politieke verschillen van inzicht.

Vandaag heeft de ministerraad ook - eveneens op voorstel van de ministers De Graaf (BVK) en Remkes (BZK) - besloten om de bepaling dat
de burgemeester voorzitter van de gemeenteraad en de commissaris
van de Koningin voorzitter van provinciale staten is, uit de Grondwet te
schrappen. Het kabinet vindt dat deze bepaling, die sinds 1983 in de
Grondwet staat, niet in de Grondwet thuishoort. Na de totstandkoming
van deze grondwetsherziening zal de wetgever het voorzitterschap van
de gemeenteraad en provinciale staten anders kunnen gaan regelen. Of
dat zal gebeuren, moet te zijner tijd worden besloten. Het voorstel tot
grondwetswijziging doet hierover geen uitspraken.

Van verschillende kanten is naar voren gebracht dat het burgemeesterschap moeilijk verenigbaar meer zal zijn met het voorzitterschap van de
raad als de burgemeester gekozen wordt. Ook in de huidige situatie wordt
het raadsvoorzitterschap van de burgemeester en het statenvoorzitter-
schap van de commissaris in de praktijk al als minder vanzelfsprekend
ervaren. De dualisering van het gemeente- en provinciebestuur bracht
immers een duidelijker functiescheiding tussen aan de ene kant de
gemeenteraad en provinciale staten en aan de andere kan het college
van burgemeester en wethouders en gedeputeerde staten. Het voorstel
tot grondwetswijziging vloeit voort uit de toezegging die het kabinet kort
voor de zomer aan de Tweede Kamer heeft gedaan naar aanleiding van de
bespreking met de Kamer van de kabinetsvoornemens over de invoering
van de gekozen burgemeester. Het voorstel tot grondwetswijziging gaat
nu eerst voor advies naar de Raad van State.
Bron:
*www.minbzk.nl/openbaar_bestuur/bestuurlijke/inspringthema_s/direct_*
gekozen/persberichten/wetsvoorstellen_0)

Wat het kabinet Balkenende betreft wordt het dus een variant met een direct
door de bevolking gekozen burgemeester, die gaat fungeren als een lokale
regeringsleider. Na de verkiezingen treedt hij op als formateur en is hij verantwoordelijk voor de vorming van het college. Hij zorgt dat er een collegepro-

Het dualiteitenkabinet

gramma komt met daarin herkenbare punten uit zijn eigen burgemeesters-verkiezingsprogramma. Hij verdeelt de portefeuilles en stelt z'n ploeg voor aan de gemeenteraad. De raad accepteert de ploeg of niet. Waar kennen we dit ook al weer van?

Ook is de gekozen burgemeester verantwoordelijk voor de eenheid, samenhang en consistentie van het collegebeleid, voor het integrale veiligheids- en hand-havingsbeleid en voor het ambtelijk apparaat. De burgemeester kan effectief optreden tegen de verkokering en bureaucratisering, waardoor de kracht van het lokale bestuur wordt vergroot.[1]

Gaat het in de praktijk mis, dan kan de raad de burgemeester naar huis sturen met een tweederde meerderheid. De commissaris van de Koningin speelt in die afzettingsprocedure ook een rol.

6.4 Bespiegelingen over de impact van de wetsvoor-stellen

Nu terug naar de vraag wat de impact van de hierboven beschreven gekozen burgemeester zal zijn op het functioneren van het dualisme.

Over countervailing powers

Directe verkiezing door de bevolking geeft de burgemeester in essentie een zwaarder mandaat dan verkiezing door of uit de raad. Over de impact hiervan op de machtsbalans die het dualisme nastreeft denken onze geïnterviewden het volgende:

———

"Ik vind het zo tegenstrijdig als maar kan. De minister probeert de gemeente-raad te versterken om vervolgens de gekozen burgemeester veel bevoegdheden te geven."
(Wim Zwaan, wethouder gemeente Meppel)

———

"De verhoudingen zijn door het duale stelsel veel helderder geworden. De counter-vailing powers zijn meer in evenwicht gekomen. De raad heeft nu meer de positie die bij haar hoort (…) De gekozen burgermeester fiets dwars door het lopende proces heen. Het wordt een majeure verstorende factor die in mijn ogen niets toevoegt. Het duale stelsel kan prima zonder een gekozen burgemeester."
(Mevrouw Guusje ter Horst, burgemeester gemeente Nijmegen)

———

"Ik moet zeggen dat ik een groot voorstander ben van de gekozen burgemeester. Je krijgt een burgemeester die zijn eigen programma kenbaar maakt en zijn eigen wethouders kiest. Die dát voorlegt aan de raad, die dát in de raad ter discussie stelt en dáárvoor gaat. Daarop wordt hij afgerekend en daar zal hij iedere keer weer keuzes in moeten maken. Hij zal veel meer naar buiten zichtbaar moeten maken wat hij doet en hij zal veel meer z'n legitimatie moeten halen bij de mensen, bij de bevolking. Daarom vind ik ook dat hij door de bevolking moet worden gekozen en niet door de gemeenteraad. (…) Doe het nou één keer goed. Laat hem kiezen door de bevolking en laat de bevolking kijken wat 'ie doet. Laat de bevolking van 'm houden of 'm verafschuwen. (…) De raad wordt gedwongen om op een hele aparte manier, echt tegendruk te geven. Hoe steviger de burgemeester, hoe meer de raad geappelleerd zal worden en niet omgekeerd. Ze roepen altijd: 'Ja maar, de burgemeester wou het zo graag'. Nee, een goede raad zal daar goed stevig tegenaan moeten."

(Jan Mans, burgemeester gemeente Enschede)

Veel van de geïnterviewden onderschrijven overigens de opmerking van mevrouw Ter Horst dat het van belang is dat de countervailing powers in evenwicht zijn. Een goede machtsbalans wordt over de brede linie als cruciaal gezien.

Over een eigen verkiezingsprogramma voor burgemeesters

De gekozen burgemeester zorgt dat er een collegeprogramma komt met daarin herkenbare punten uit zijn eigen burgemeestersverkiezingsprogramma. Dit kan conflicteren met wat de gekozen raad wil. Dáár zitten de volksvertegenwoordigers. Dáár worden democratische meerderheden gevormd. Dáár wordt gedebatteerd, gestemd en afgestemd.

"In deze configuratie kun je chaos krijgen. Te veel macht bij één persoon en te weinig continuïteit in beleid als er weer een nieuwe komt. Het hangt heel erg van het type burgemeester af. Het gaat namelijk om de persoon van de burgemeester in relatie tot het college; of hij in staat is het college in teamverband collegiaal aan te sturen en het spel goed te kunnen spelen met de raad die daar zit."

(Gerke Jager, directeur dienst Ontwikkeling, gemeente Assen)

"Als je als burgemeester iets voor elkaar wilt krijgen, dan ga je natuurlijk met de fractievoorzitters om de tafel zitten. Want je bent gekozen door de samenleving op basis van een bepaald programma. En het is natuurlijk onbestaanbaar dat dat mijlen ver afstaat van de programma's van de politieke partijen die in de raad vertegenwoordigd zijn. Daar zit natuurlijk een zekere harmonie in. Dus dat is je basis."
(Peter de Jonge, burgemeester gemeente Heerenveen)

Opnieuw zijn het dus de poppetjes die als doorslaggevend gezien worden.

Over het kiezen van de eigen wethouders
De burgemeester formeert zijn eigen college en is daarbij volledig vrij om in zijn college op te nemen wie hij wil.

"Wat ik een lastige vind, is dat de gekozen burgemeester straks zijn of haar eigen wethouders kan uitzoeken. Ik ben daar geen voorstander van. Uiteindelijk heb je de politieke partijen met een programma. Mensen worden op basis van dat programma gekozen. Beoogde wethouders die voortkomen uit die politieke partijen, moeten in staat zijn om die politieke visie te vertalen."
(Mevrouw Monique Schoonen, directeur Bestuursdienst gemeente Groningen)

"Het is zelfs de vraag of er nog een rechtstreekse relatie komt te liggen tussen de wethouders enerzijds en politieke partijen anderzijds, want dat is nergens meer voorgeschreven, behoudens dan dat de raad uiteindelijk de benoeming moet bekrachtigen. Maar het is de burgemeester die hem voordraagt. Daar gaat een heel ander soort mechanisme ontstaan, dus ook een andere machtsverdeling. Dat geldt niet alleen voor de totstandkoming van het college, maar volgens mij ook voor het feitelijk functioneren van het college in de periode daarna, waar de burgemeester een veel duidelijker stempel zal hebben op het collegebeleid. In de verhouding naar de raad zal dat dus ook consequenties hebben. De positie van de wethouders zal dan voor een belangrijk deel een afgeleide zijn van de burgemeester."
(Arjen Mewe, gemeentesecretaris gemeente Emmen)

Tot zover het verslag van het 'koffiedik kijken' ten tijde van de interviews.

Over de burgemeester als ordehandhaver

Tijdens de interviews kwamen nog enkele overwegingen aan de orde die niet direct te maken hebben met het functioneren van het dualisme, maar die naar onze mening wel degelijk steekhoudend zijn. Opvallend genoeg zien we die niet of nauwelijks terug in het debat zoals dat tot op dit moment is gevoerd.

Het gaat om het volgende. Burgemeesters hebben veel taken die rechtstreeks met de gemeente waarvan zij burgemeester zijn te maken hebben, maar ook een aantal dat daar bovenuit stijgt. Zo is de burgemeester vertegenwoordigd in de driehoek, samen met politie en justitie. Verder zit hij of zij in regionale overlegstructuren inzake onderwerpen als regionale samenwerking en ontwikkeling en rampenbestrijding. Het lijkt voor de hand liggend dat de toekomstige burgemeester kwaliteiten mee moet brengen die ook gevraagd worden binnen deze gremia. In tijden van lokale rellen of crises is de burgemeester immers wel de baas van de politie en moet hij of zij ook in die rol optreden. Moet de straks gekozen burgemeester nog steeds per definitie openbare orde en veiligheid in z'n portefeuille hebben of niet? De tijd zal het leren.

7

Conclusies

7.1 INLEIDING

Onze conclusies zijn onderverdeeld in drie paragrafen. De eerste paragraaf gaat over het invoeringsproces op zich: hier beschrijven we onze conclusies ten aanzien van de wijze waarop dit proces gepland is en (bij)gestuurd wordt. In de daaropvolgende paragraaf nemen we de kritische succesfactoren bij het doorvoeren van veranderingsprocessen onder de loep. En in de derde paragraaf geven we een aantal conclusies die direct te maken hebben met wat onze geïnterviewden in de praktijk hebben waargenomen

7.2 HET INVOERINGSPROCES

Probleemanalyse

Zoals beschreven in paragraaf 3.3 schetst de commissie Elzinga vier hoofdproblemen, namelijk:

1 Dat de tegenstelling – in zowel grote als in kleine gemeenten – tussen de theorie en de praktijk van hoe de bestuurlijke verhoudingen liggen een belemmerende factor is voor de werkwijze van de raad, de organisatie van het politieke proces, de lokale democratie en de rekrutering van raadsleden.
2 Dat de rol van de raad als lokale volksvertegenwoordiger en als tegenspeler van het college naar buiten toe onvoldoende gewicht heeft, waardoor de herkenbaarheid van het lokaal bestuur als forum van politieke besluitvorming te gering is.

3 Dat nieuwe vormen van participatie en beïnvloeding nodig zijn omdat anders het representatieve stelsel niet alleen haar monopolie maar ook haar primaat kwijt raakt.

4 Dat de collegialiteit binnen het college onder druk staat, doordat de ontwikkeling van de burgemeestersfunctie geen gelijke tred heeft gehouden met het uitdijende partijpolitieke en bestuurlijke profiel van de wethouders.

Organisatorische context

Veranderkundig gezien was er geen sprake van escalatie. Er was in dié zin dan ook geen reden om het stelsel 'overhaast' in te voeren, zoals sommigen van de geïnterviewden het invoeringsproces kwalificeren. Omdat geen gemeente hetzelfde is, is er in feite sprake van 483 veranderingstrajecten in plaats van één groot veranderingstraject.

Lerend vermogen

We vinden het een lastige vraag of de gemiddelde gemeente over genoeg lerend vermogen beschikt om een veranderingstraject als de invoering van het duale stelsel succesvol af te ronden. Het lerend vermogen van (gemeentelijke) organisaties wordt namelijk door veel factoren bepaald. En vooral: de gemiddelde gemeente bestaat niet. We hebben het over 483 verschillende gemeenten, met elk hun eigen aardigheden en eigenaardigheden. Daarnaast telt mee dat minimaal eens per vier jaar een deel van de actoren wordt vervangen. Wij zijn van mening dat lerend vermogen gemiddeld genomen in zo'n mate aanwezig is, dat dit niet de bepalende factor zal zijn voor het al dan niet slagen van de invoering van het duale stelsel. Hierover later meer.

Haalbaarheid probleem 1

Bij probleem 1 wordt in feite gesteld dat het 'oude' gehanteerde systeem in theorie monistisch was, maar dat er in de praktijk op grote schaal sprake was van een dualistische gang van zaken. Dit zou een belemmerende factor kunnen zijn voor het functioneren van de raad.

Veel kleinere gemeenten herkennen zich niet in deze probleemstelling In deze gemeenten was ten tijde van het monisme eigenlijk geen sprake van een bestuurspraktijk met een meer dualistisch karakter: college en raad trokken nauw samen op. De gang van zaken onder het monistische stelsel wordt dan ook niet als een belemmerende factor gezien voor de werkwijze van de raad.

De gemeenten waar dit probleem wel speelde zien over het algemeen het dualisme niet als de juiste oplossing. Ook wij denken dat de invoering van het duale stelsel, zoals die tot nu toe verloopt, de genoemde tegenstelling tussen theorie en praktijk maar ten dele kan opheffen. De problemen zitten met name in de nog gebrekkige inrichting van het nieuwe stelsel en in de competenties van de betrokken personen.

Inrichting

Een betere inrichting van het stelsel is grotendeels een kwestie van tijd. Er zitten nog verschillende zaken aan te komen, zoals de programmabegroting en de Rekenkamerfunctie. Daarnaast zit er ook een aantal structurele weeffouten in het stelsel. Hierbij springt de oneigenlijke dubbelrol van de burgemeester (voorzitter van het college en voorzitter van de raad) er uit. Door de recente wetsvoorstellen voor het gekozen burgemeesterschap zou dit pettenprobleem echter worden opgelost.

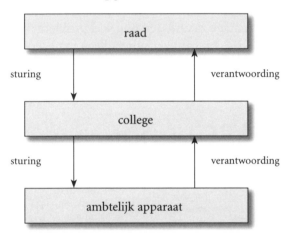

Een ander inrichtingsaspect is de ambtelijke organisatie. Deze blijft naar onze mening te veel buiten beeld. De meer of minder grote afstand tussen het ambtelijk apparaat en de raad cq. griffier bepaalt mede de werkrelatie. Deze moet toch vooral gericht zijn op samenwerking, en dat verdraagt zich slecht met een grote afstand. Het verdient naar onze mening aandacht om de rol van het ambtelijk apparaat te bekijken in termen van wat het kan bijdragen aan de verder uitkristallisering van het duale systeem. Dit geldt vooral ook voor de informatievoorziening richting de raad. Dit systeem, de informatiehuishouding van sturen en verantwoording afleggen, verdient veel aandacht. Een dergelijke informatiehuishouding is essentieel om iedere organisatie, dus ook een gemeentelijke, goed te laten functioneren.

Competenties

Competentieproblemen spelen vooral op het niveau van de bestuurders, dus bij raadsleden en wethouders. Daarmee bedoelen we niet dat er geen kwaliteit bij de lokale politici zit. Het punt is eerder dat er in het nieuwe systeem andere eisen aan het functioneren van raadsleden en wethouders worden gesteld en dat de huidige lichting raadsleden en wethouders nog niet op basis van deze veranderde eisen geselecteerd zijn en/of nog niet voldoende ingesteld zijn op de nieuwe eisen.

- Raadsleden

Veel raadsleden zijn gewend om zich redelijk op detailniveau met zaken bezig te houden. Enerzijds omdat dit vaak de meest concrete en gemakkelijkste manier van discussiëren is, anderzijds omdat een raadslid ook vaak op details aangesproken wordt door burgers. De praktijk wijst uit dat het al moeilijk genoeg is om een andere manier van opereren (denken in hoofdlijnen) aan te leren, laat staan wanneer er met een bepaalde regelmaat impulsen zijn die een terugkeer naar de 'vertrouwde' manier stimuleren. In de praktijk komt het er dan ook op neer dat een hoog percentage raadsleden nog veel problemen heeft met de kaderstellende taak van de raad. En trouwens niet alleen raadsleden. De kaderstelling is sowieso nog een zoektocht voor veel betrokkenen.

Pragmatisme versus principe

'Zwakke gemeenteraad, slappe raadsgriffier', in Binnenlands Bestuur 10, 5 maart 2004.

Onder deze titel schreef u in Binnenlands Bestuur van 5 maart, dat Bennebroek de functie van raadsgriffier wil opheffen. Het tegendeel is waar. Bennebroek wil, met de beperkte middelen die ervoor beschikbaar zijn, een kwalitatief hoogwaardige invulling van de griffiefunctie. In het eerste jaar dat de Wet dualisering gemeentebestuur van kracht was hadden we die: de gemeentesecretaris, de hoogst gekwalificeerde medewerker van ons ambtelijk apparaat (dat slechts 37 fte's omvat), combineerde de functies van secretaris en griffier toen in zijn persoon. Toen kwam er een wetswijziging en moest er een aparte griffier worden aangesteld. Een wetsregel die bij amendement is ingevoerd, terwijl diverse woordvoerders en deskundigen in het debat toen al aangaven dat het principe mooi is,

maar in kleine gemeenten niet erg praktisch invulbaar. Ook Bennebroek kreeg zijn griffier met een beperkt aantal uren. Binnen een jaar werd bewezen dat een griffier met slechts een beperkte aanstelling in tijd, de spilfunctie niet kan waarmaken die een raadsgriffier zou moeten vervullen. In de praktijk bleef de gemeentesecretaris de vraagbaak voor ambtenaren die de raad ondersteunen bij onderzoek en andere initiatieven.

In de komende maanden wordt het dualisme geëvalueerd. In Bennebroek zijn we er, op basis van twee verschillende ervaringsjaren, van overtuigd dat de raad het optimum geboden wordt als deze verwante functies in één persoon verenigd zijn, zoals op zo veel plaatsen in ons ambtelijk apparaat ambtenaren meerdere verwante functies in zich verenigen.

Annelies Koningsveld-den Ouden, burgemeester van Bennebroek

Bron: Binnenlands Bestuur, 19 maart 2004

Om dit kaderstellende competentieprobleem van raadsleden op korte termijn op te lossen zal er naar onze mening veel aandacht besteed moeten worden aan opleiding en training. Het probleem oplossen door vervanging van raadsleden, is volgens ons niet eenvoudig. Er is weinig belangstelling om raadslid te worden. Veel politieke partijen zijn al blij dat ze hun fractie voltallig kunnen krijgen. Een strengere selectie 'aan de poort' zal dus eerder leiden tot een tekort aan capabele mensen dan tot een oplossing. De vraag is dus of de partijen in het huidige maatschappelijk tij in staat zullen zijn mensen aan te trekken die meer gewend zijn op hoofdlijnen te denken en te discussiëren.

De controlerende taak ligt dichter bij de 'natuur' van veel raadsleden. In de praktijk treden hier minder problemen bij op. Wanneer op termijn het instrumentarium compleet is, verwachten we dat het op dit punt wel gaat lopen zoals voorzien.

Wat betreft de volksvertegenwoordigende rol is het voor veel gemeenteraden voorlopig ook nog even zoeken. Moeten ze er zelf meer op uit dan voorheen? Of moeten ze van het college eisen dat die de bevolking nauwer en ook vroeger betrekt bij planontwikkeling. Of gaat men voor een geheel niéuwe aanpak om beter te weten wat er bij de burgers leeft. Bij dit punt speelt ook mee dat raadsleden door de invoering van het duale stelsel vooralsnog meer tijd aan vergaderen kwijt zijn dan voorheen, waardoor veel raadsleden op dit moment bijna geen tijd overhouden om zich substantieel meer op de burgerij te richten.

- Wethouders
Ook de huidige lichting wethouders is nog niet geselecteerd op basis van de veranderde eisen. Dit betekent dat sommige wethouders duidelijk meer 'politieke dieren' dan 'politieke managers' zijn en zich niet echt op hun gemak voelen met een achterban die zich af en toe erg 'duaal' gedraagt.

Het is de vraag of dit 'poppetjesprobleem' bij het college zich in de toekomst vanzelf zal oplossen. Wij denken dat dit alleen zal gebeuren als politieke partijen de keus maken om niet meer per definitie raadsleden als wethouder voor te dragen, maar om waar nodig ook 'stevige politieke managers' van buiten de fractie te vragen om wethouder te worden (veel ministers komen immers ook niet uit de kamer). Dit vraagt echter wel een flinke cultuuromslag binnen de politieke partijen.

Haalbaarheid probleem 2 en 3

Naar onze mening biedt het dualisme, zoals het nu wordt ingevoerd, geen oplossing voor het tweede probleem dat de commissie constateert. Dus de nieuwe rol van de raad - als lokale volksvertegenwoordiger en tegenspeler van het college – zal op een enkele uitzondering na niet leiden tot een substantieel betere herkenbaarheid van het lokaal bestuur als forum van politieke besluitvorming. Dit heeft alles te maken met de derde probleemstelling van de commissie, namelijk dat er niet of nauwelijks gekeken wordt naar nieuwe vormen van beïnvloeding en participatie.

Onze geïnterviewden, de ervaringsdeskundigen bij uitstek, zijn over het algemeen van mening dat de burger door de invoering van het duale stelsel niet dichter bij de lokale politiek is komen te staan of zal komen te staan. Het is bij dit punt ons opgevallen dat van de praktijkmensen bijna niemand actief is met nieuwe of alternatieve manieren om de burger meer te betrekken. Veel betrokkenen zijn er steevast van overtuigd dat burgers gewoon een goed bestuur willen en dat de algemene gang van zaken op bestuurlijk niveau hen nauwelijks of niet interesseert. De individualisering in de maatschappij versterkt deze desinteresse nog eens. Volgens de geïnterviewden zijn burgers alleen te interesseren aan de hand van 'single issues'. Verder komen ze pas in beweging wanneer er binnen een straal van 300 meter vanaf hun huis iets staat te gebeuren dat hen persoonlijk aangaat.

Onze conclusie ten aanzien van de problemen 2 en 3 van de commissie: wij geloven net als de ervaringsdeskundigen dat burgers niet of nauwelijks geïnteresseerd zijn in de algemene gang van zaken op bestuurlijk niveau, en dat zij, behalve voor aangelegenheden in de directe omgeving van hun woning, alleen belangstelling hebben voor 'single issues'. Sterker nog: wij denken dat dit gegeven juist benut moet worden. Pak de laatste strohalm en doe iets met het feit dat er tenminste interesse is voor specifieke onderwerpen. Natuurlijk kan er niet altijd over 'single issues' gedebatteerd worden, maar misschien zijn er andere aanknopingspunten te bedenken. Sprak de commissie Elzinga er niet over dat nieuwe vormen van participatie en beïnvloeding nodig zouden zijn?

Haalbaarheid probleem 4

Tijdens de interviews hebben we getoetst of de problemen die de commissie Elzinga onderkent ook in de praktijk ervaren werden. Met name bij het vierde probleem bleek dit niet het geval te zijn. De probleemstelling dat de collegialiteit in het college onder druk zou zijn komen te staan wordt vrij eensgezind niet gedeeld.

'Burgemeesters moeten het sowieso niet hebben van macht, maar van gezag. En gezag heeft meer te maken met de persoonlijkheid van de burgemeester dan met de formele positie.'

Het dualiteitenkabinet

Aangezien het probleem, voor zover wij dat hebben kunnen constateren, niet speelt in de praktijk, valt er over de haalbaarheid van een mogelijke oplossing niets zinnigs te zeggen.

Haalbaarheid: remmende factoren

In hoofdstuk 3 schreven we dat we bij het inschatten van de uiteindelijke haalbaarheid de ambities van de betrokkenen niet over het hoofd moeten zien, evenals de vraag waarom het gaat zoals het gaat.

Persoonlijke ambities

Voor ons is het een gegeven dat politici, naast hun eigen en partij-ideologische idealen, vaak ook gedreven worden door macht. Deze opvatting is overigens niet gebaseerd op de gehouden interviews. Waarom noemen wij dit? Omdat we van mening zijn dat ook voor de lokale politiek het credo 'de juiste man of vrouw op de juiste plaats' hoort te gelden. Alleen al gezien het feit dat er veel publiek geld door het lokaal bestuur besteed wordt. Eerder hebben we al geconstateerd dat - gezien de veranderde en nogal uiteenlopende eisen die nu aan wethouders en raadsleden gesteld worden - een goed raadslid in het duale bestel niet per definitie een goede wethouder hoeft te zijn, of zelfs *in veel gevallen* geen goede wethouder zal blijken te zijn.

Dit betekent naar onze overtuiging dat politieke partijen voor het vervullen van wethoudersposten veel vaker een beroep moeten doen op 'sterke managers met een goed gevoel voor lokaal bestuur' van buiten de fractie of zelfs van buiten de partij. Dit vraagt van zittende fractieleden dat ze in voorkomende gevallen afzien van een wethouderspositie, dus ook moeten afzien van 'de macht van het gewoonterecht' dat ze tot het selecte gezelschap behoren waaruit de wethouder gekozen wordt. Met name raadsleden/wethouders die al vele jaren tot de vaste politieke kern van een gemeente behoren zullen dit 'vrijwillig' inleveren van macht als een ingrijpende verandering ervaren.

Als we deze lijn van 'afzien van macht' doortrekken naar de politieke partijen, levert dat het volgende beeld op: stel, een partij kan geen echt sterke manager leveren met een goed gevoel voor lokaal bestuur. Niet vanuit haar fractie, niet van buiten de fractie, zelfs niet van buiten de partij. In dat geval zou het de betreffende partij sieren wanneer zij het (voor)recht om een wethouder te mogen leveren doorgeeft aan een andere partij. Naar onze overtuiging is dit ook zonder meer beter voor het lokaal bestuur. Utopie, of een 'logische' cultuurverandering?

Waarom het gaat zoals het gaat

In hoofdstuk 4 hebben we geconstateerd dat veel van beoogde vernieuwingen van het dualisme ook onder het monistische stelsel heel goed mogelijk waren, maar slechts beperkt tot stand zijn gekomen. De conclusie mag dus zijn dat veel gemeentebesturen het blijkbaar niet nodig vonden om deze veranderingen te initiëren en te implementeren. Dit heeft alles te maken met cultuur, maar zegt naar onze mening ook veel over het draagvlak bij de gemeenten voor de voorstellen die de commissie Elzinga heeft gedaan.

Aard van de interventie

Veranderkundig gezien is de invoering van het duale stelsel een structuurinterventie. Met de inwerkingtreding van de Wet Dualisering Gemeentebestuur is ingegrepen in de bestaande structuur en zijn deels ook de werkmethoden aangepast. De ingreep gaat er vanuit dat er voldoende leer- en verandervermogen aanwezig is. Tot nu toe loopt het echter nog niet zoals het moet, dus moeten er zaken veranderen.

Onze geïnterviewden en ook de commissie Elzinga, hebben het op dit punt vaak over de nog noodzakelijke cultuurverandering. Veel van de zaken die hierbij als cultuurverandering worden aangeduid, zijn echter niet meer en niet minder dan onderdeel van een functiewijziging. Zo is een raadlid nog stééds de gekozen volksvertegenwoordiger, maar de functie-inhoud is geherdefinieerd, met accenten op volksvertegenwoordiger, kaderstellend en controlerend. Dit betekent dat deze vaardigheden op het vereiste niveau gebracht moeten worden middels opleiding en training en dat de gemeentelijke organisatie een raadslid voldoende moet faciliteren. Net als in andere organisaties zal dan blijken of iemand kan voldoen aan de veranderde cq. aangescherpte functie-eisen of niet. Daarnaast zal de selectieprocedure van kandidaten – voor zover mogelijk – strenger moeten worden. Voor politieke partijen ligt er dus naast aanscherping van het selectiebeleid een verantwoordelijke taak op het gebied van opleidingsplannen maken, functionerings- en beoordelingsgesprekken organiseren en fractieleden coachen op de vereiste competenties. De vraag is of partijen over voldoende competente 'HRM-managers' beschikken om deze taken goed te vervullen.

Ook wij denken dat er nog wel het nodige aan cultuurverandering nodig is, maar dat is naar onze mening niet het enige probleem. Veel van de problemen die zich op dit moment manifesteren bij de invoering van het dualisme zijn eerder inrchtings- en competentievraagstukken dan cultuurvraagstukken. De problemen rond competenties hebben we eerder in deze paragraaf besproken. Als belangrijkste inrichtingsvraagstuk zien wij dat er in veel gemeentes onvoldoende en onduidelijk vastgelegd is hoe zaken geacht worden te lopen. Op dit moment wordt er nog erg veel tijd besteed aan procedures, reglementen en processen.

Over nut en noodzaak

Slechts een fractie van de betrokkenen onderschrijft daadwerkelijk de noodzaak van de invoering van het duale stelsel. Een veel groter deel ziet dan wel niet zozeer de noodzaak ervan, maar onderkent wel degelijk het nut van het nieuwe stelsel. Het stelsel had er wat hen betreft niet hoeven komen, maar men heeft absoluut geen problemen met het stelsel op zich.

Uiteenlopende doelen

De nationale overheid lijkt bij het proces de primaire insteek te hebben om de burger meer bij de lokale politiek te betrekken. Secundair spelen een aantal structuur- en systeemverbeteringen. Op lokaal niveau ligt dit voor de meeste betrokkenen precies andersom. Men breekt zich primair het hoofd over 'hoe alles weer conform de regels te krijgen'. Struikelblok hierbij is dat van lang (nog) niet alles vastgelegd is hoe het precies zou moeten werken. De vraag hoe de burger nauwer bij het geheel betrokken kan worden is op gemeentelijk niveau van secundair belang.

Naar onze mening komt dit enerzijds doordat er een diep gewortelde overtuiging aanwezig is dat lang niet alle burgers te betrekken zijn. Anderzijds kost het aanpassen en opzetten van procedures en systemen veel tijd, geld en energie. Veel gemeenten hanteren daarom de stelregel dat zonder tegenbewijs de burger niet te betrekken valt. En mocht het tegendeel alsnog bewezen worden, dan kan men altijd de nieuwe methoden van betrekken nog overnemen, zodat de eigen inspanning tot een minimum beperkt wordt. Wij betwijfelen of de prioritering op gemeentelijk niveau op den duur zal omkeren zonder aanvullende maatregelen.

Sturing van het verloop

Het proces wordt op gemeenteniveau op heel verschillende wijzen gestuurd. De landelijke sturing vindt primair plaats vanuit de Wet Dualisering Gemeentebestuur waarin is vastgelegd welke structuurveranderingen op welke datum gerealiseerd dienen te zijn. Daarnaast wordt het proces gefaciliteerd via de Vernieuwingsimpuls Dualisme en Lokale Democratie. Volgens ons is dit niet genoeg om de invoering van het stelsel succesvol af te ronden. Met name het veelal ontbreken van overtuigde gezaghebbende sponsoren op gemeentelijk niveau heeft een remmende werking op een succesvolle invoering.

7.3 Kritische succesfactoren

Communicatie

De invoering van het dualisme is grotendeels aan de cliënt, de burger voorbij gegaan. De vraag is of dit erg is.

Voor zover wij hebben kunnen constateren is er zeker in de startfase vrijwel geen communicatie naar de burger geweest in de zin van 'er is wat veranderd en het gaat echt allemaal veel interessanter voor u worden'. Dat is een slechte zaak. Toch hoeft dit gebrek aan directe communicatie het succesvol betrekken van burgers niet in de weg te staan. Naar de burger toe zal moeten gelden dat 'the eating the proof of the pudding is'. Oftewel: de interesse van de burgers moet opgewekt worden doordat deze *merkt* dat er wat veranderd is, dat er een nieuwe wind waait die hem of haar intrigeert. Wanneer nieuwe vormen van participatie en beïnvloeding geïntroduceerd worden is het natuurlijk wel verstandig om deze introductie van de nodige communicatie vergezeld te laten gaan.

Wat betreft de andere actoren, de direct betrokkenen op gemeenteniveau, vinden wij dat er wel in voldoende mate gecommuniceerd is en wordt. In ieder geval heeft iedereen de mogelijkheid gehad om (met name via internet) informatie te krijgen over de veranderingen. Het mogelijke argument dat de burger dat in de aanloopfase ook had kunnen doen gaat niet op. De (uitgebreide) informatie die te vinden is op overheidssites als vernieuwingsimpuls.nl is qua opzet en inhoud puur gericht op direct betrokkenen op gemeentelijk niveau. Bovendien zijn de burgers onvoldoende gewezen op het bestaan van deze informatie.

Draagvlak

Uit de opmerking van de commissie Elzinga dat zij niet gevraagd is om over de wenselijkheid van het duale stelsel te adviseren, concluderen wij dat steeds meer Tweede Kamerleden zijn gaan vinden dat de lokale democratie onvoldoende was (geworden) en dat het duale stelsel daarop het antwoord was.
Uit het feit dat de betrokken doelgroepen (vrijwel) niet vertegenwoordigd waren in de commissie Elzinga, kunnen wij concluderen dat deze commissie niet direct als nevendoel had om draagvlak te creëren. In de Begeleidingscommissie Vernieuwingsimpuls zijn de meeste van de betrokken doelgroepen wel vertegenwoordigd. Het is echter de vraag of dit gebeurd is om alsnog draagvak te bewerkstelligen - voor zover dat al had gekund langs deze weg. Kortom: er zijn geen bewuste pogingen ondernomen om een stevig draagvlak te creëren voor de invoering van het duale stelsel. Naar onze mening kan dat als een tekortkoming in het invoeringsproces worden gezien. Draagvlak zorgt immers voor motivatie en stimuleert betrokkenen om zich volledig in te zetten voor de gestelde doelen.

Aan de andere kant denken wij dat het gebrek aan draagvlak in de aanloopfase niet rampzalig hoeft te zijn voor het uiteindelijke slagen van het veranderingsproces, mits er in de huidige vervolgfase op gemeentelijk niveau wél voldoende aandacht is voor het creëren van draagvlag. Doordat de invoering een *wettelijk* karakter had, was er geen sprake van kiezen of persoonlijke voorkeuren in de aanloopfase. De invoering moest en is gebeurd, ook zonder draagvlak. Nu de veranderingen zich inmiddels afspelen op het niveau van de afzonderlijke gemeenten, dus buiten het nauwe kader van de wettelijke structuurverandering, is draagvlak een belangrijke voorwaarde voor succes geworden. Door middel van goede communicatie moeten gemeenten er daarom hard aan werken om de achterstand op het gebied van draagvlak in te halen.

Draagvlak zorgt ervoor dat betrokkenen hun gedrag vrijwillig veranderen. Dan hebben we het bijvoorbeeld over de cultuurverandering die nodig zal zijn binnen de politieke partijen om de invoering van het duale stelsel uiteindelijk tot het beoogde succes te maken. Hier zal draagvlak voor gezocht moeten worden, want hier hebben partijen en mensen simpelweg de keuze om wel of niet mee te doen. Het feit dat politici deels gedreven worden door macht speelt hierbij een belangrijke rol. En waar macht in het geding is hebben alle betrokkenen hun eigen ambities.

_____

'Zij die de macht hebben willen deze behouden, zij die de macht niet hebben willen deze pakken, en zij die de macht nooit zullen krijgen willen deze delen.'
(Anoniem)

_____

Concrete doelen

Bij veranderingsprocessen is het om meerdere redenen belangrijk dat doelstellingen SMARTi zijn: Simpel, Meetbaar, Acceptabel, Realistisch, Tijdgebonden en inspirerend. In geval van de invoering van het duale stelsel waren de doelstellingen bepaald niet SMARTi. De gevolgen daarvan zijn legio: geen duidelijk einddoel, geen duidelijke weg om af te leggen, geen meetbare resultaten, geen mijlpalen die behaald kunnen worden, geen successen die gevierd kunnen worden.

Als excuus voor de Rijksoverheid kan aangevoerd worden dat SMARTi doelstellingen vrijwel onmogelijk waren door de zeer diverse situaties in de 483 gemeenten. Je zou zelfs kunnen zeggen dat de doelstellingen in de aanloopfase van het duale stelsel bestonden uit 'voldoen aan de wettelijke richtlijnen'. Dus: op datum X moet bepaling Y in- of uitgevoerd zijn. Een welwillende toeschouwer zou dat als SMARTi doelstelling kunnen beschouwen. De doelstellingen voor het vervolgtraject, dus het traject dat leidt naar de werkelijke resultaten, zijn echter vaag, abstract en algemeen. Het gevolg is dat de meeste gemeenten zich met name bezighouden met regels en procedures terwijl er nog te weinig gekoerst wordt op het realiseren van de uiteindelijke doelstellingen (versterking van de lokale democratie en betrekken van de burger). Om daar verandering in te brengen ligt er nu voor de gemeenten de belangrijke taak om voor de lokale praktijk concrete eigen targets te formuleren, met duidelijke mijlpalen. Er zijn echter maar weinig gemeenten die hiertoe al initiatieven ondernomen hebben. Dit heeft ook te maken met de reeds eerder genoemde twijfel op lokaal niveau óf de burger überhaupt wel voor de lokale politiek te interesseren is.

Faciliteren

Facilitering vindt voornamelijk plaats via de Vernieuwingsimpuls, een gezamenlijk project van het Ministerie van BZK en de VNG. In het eerste jaar na de invoeringsdatum hebben veel van de betrokkenen regelmatig gebruik gemaakt van de Vernieuwingsimpuls. Daarna heeft de gedachte dat men het uiteindelijk toch zelf moest doen meer en meer postgevat en is minder gebruik gemaakt van de diensten van de Vernieuwingsimpuls.

Evalueren en bijstellen

In de startfase was er nauwelijks sprake van evaluatie en bijstelling. Dit is te verklaren vanuit het feit dat de eerste aanzet van het veranderingsproces een wettelijke maatregel was, die gewoon ingevoerd moest worden. Nu de meeste gemeenten aan het stadium van 'finetuning' zijn begonnen komen evaluatie en bijstelling ook op gang. Op dit moment (november 2004) is de commissie Leemhuis-Stout druk bezig om de balans van de eerste twee jaar op te maken. Verder is er een eerste jaarbericht verschenen van de Begeleidingscommissie Vernieuwingsimpuls.

Praktijkwaarnemingen

Informeel overleg

In de meeste gemeenten vindt nog steeds overleg plaats tussen de wethouders en de fracties waartoe ze behoren. Dit lijkt ons ook niet meer dan logisch. Toch lijkt het in de meeste gemeenten wel gedaan te zijn met de greep die de wethouder heeft op de fractie. Naar onze overtuiging is er op dit moment in veruit de meeste situaties sprake van normaal politiek verkeer, waarin de haalbaarheid van ideeën wordt getoetst en waarin de wethouder zijn visie geeft op zaken waar de fractie over nadenkt. Kortom: de wethouder stuurt niet zozeer zijn fractie, maar vraagt om hun visie en hun hulp bij het vinden van draagvlak voor zijn ideeën.

De raad als 'nieuwe baas'

Door de invoering van het duale stelsel is bij raadsleden een groter zelfbewustzijn ontstaan. Kenmerken daarvan zijn volgens de betrokkenen duidelijk

zichtbaar. Raadsleden die vinden dat zij niet langer voor de wethouder werken, maar dat de wethouder nu voor hen werkt. De raad die veel scherper is
geworden op haar machtspositie, daar ook voor knokt of voortdurend roept
'de baas' te zijn. Kritisch zijn op het college lijkt in de periode aansluitend aan
de invoering van het duale stelsel een belangrijke stijl van politiek bedrijven te
zijn geworden. Er zal zich een nieuw machtsevenwicht moeten instellen. In een
aantal gemeenten zijn de voortekenen hiervoor al aanwezig. Natuurlijk kan dit
in andere gemeenten gewoon langer duren.

De dolende wethouder

De dolende wethouder is als het ware de belichaming geworden voor het fenomeen dat wethouders ontheemd zijn geraakt, doordat ze losgesneden zijn van
hun fractie. Politieke dieren die plotseling meer als politieke *managers* moeten
fungeren en die zich helemaal niet prettig voelen met een eigen achterban die
zich 'duaal' gedraagt. Geen wonder dat het college meer als eenheid is gaan
opereren, wethouders (dolend of niet) zijn net gewone mensen. Wij voorzien
dat het begrip 'dolende wethouder' mettertijd zal verdwijnen, of minimaal een
andere inhoud zal krijgen.

De spagaat van de burgemeester

De burgemeester heeft twee petten op, of in kleinere gemeenten soms zelfs
drie. Van de eerste twee petten weten handige burgemeesters goed gebruik te
maken. Dit zijn de betere simultaanschakers: zij schaken op twee borden en
weten hier politiek gezien handig gebruik van te maken. Maar in feite gaat het
natuurlijk tegen alle duale beginselen in dat het toezichthoudende orgaan en
het uitvoerende orgaan door een en dezelfde persoon worden voorgezeten.
Wanneer de burgemeester niet langer voorzitter van de raad is, is ook het
probleem van de derde pet van de burgemeester in veel kleinere gemeente
opgelost. De burgervader of -moeder kan dan gewoon als portefeuillehouder
naar de raadsvergaderingen.

De fractievoorzitter als topsporter

Klaagt nagenoeg iedereen dat hij of zij het drukker heeft gekregen door de invoering van het dualisme, het zijn toch met name de fractievoorzitters die het echt
'voor hun kiezen' hebben gekregen. En dan met name de voorzitters van fracties
die wethouders in het college hebben zitten. Hun taak is een stuk intensiever en
complexer geworden. Hun fracties hebben namelijk een coalitieakkoord gesloten,
en dat schept verplichtingen. Niet alleen naar de andere coalitiefracties, maar nu
ook naar de eigen wethouder. In een duaal bestel is dat lang niet altijd eenvoudig.
Was er vroeger in veel coalitiefracties sprake van een soort van hegemonie van de
wethouder, nu is het de fractievoorzitter die met visie, takt en overtuigingskracht
de fractie op stoom en op koers moet zien te houden. Voor veel fractievoorzitters

is dit topsport. Te meer omdat ze onder het nieuwe stelsel ook extra tijd kwijt zijn aan presidiumvergaderingen en dergelijke. Wij achten het van belang dat de rol van fractievoorzitters gewaardeerd wordt (in wat voor vorm dan ook), want als hier geen goede kandidaten meer voor te vinden zijn dan heeft 'de representatieve democratie' wat ons betreft een serieus probleem.

De meerwaarde van de raadsgriffier

'Iedere gemeente krijgt de griffier die het verdient' zou je kunnen zeggen. Als er bewust gezocht is naar en geïnvesteerd in een raadsgriffier die meestuurt op de nieuwe rollen van de raad, dan wordt in de regel de meerwaarde van de griffier als substantieel ervaren. Heeft men zich er met een 'jantje-van-leiden' vanaf gemaakt, dan verwordt de griffie al snel tot een soort filiaal van het facilitair bedrijf en laat de raad wat ons betreft kansen liggen.

De gekozen burgemeester

De voorstellen inzake de gekozen burgemeester, die recent in de Kamer zijn behandeld, gaan er niet langer vanuit dat de burgemeester voorzitter is van én het college én de raad. In die zin lost een gekozen burgemeester dus een acuut probleem op. Of de gekozen burgemeester in alle gevallen ook echt een versterking van de lokale democratie zal betekenen betwijfelen wij. Het zal sterk om de persoon van de gekozen burgemeester gaan en het spel tussen de burgemeester en de raad. Wanneer alles goed op z'n plek valt, dus in het geval van een kwalitatief sterke raad en een vakkundige en constructieve burgemeester, kunnen beide partijen elkaar op sleeptouw nemen. Maar wanneer het niet klikt en de fulltime burgemeester de vrijwilligers in de raad ruimschoots overvleugelt, of – ook niet ondenkbaar - wanneer de burgemeester absoluut niet capabel blijkt te zijn, wie belt er dan even Apeldoorn? Los van de vraag of dit erg is of niet, doet dit geen afbreuk aan het feit dat de traditionele kroonbenoeming een zekere mate van garantie meebracht dat het niet echt zou ontsporen.

7.4 NABESCHOUWING

In het inleidende hoofdstuk schreven wij dat het ons vak is organisaties te helpen veranderen, zodat ze beter gaan beantwoorden aan doelen waarvoor ze eens in het leven zijn geroepen. Ook schreven we dat elke organisatie in feite een verzameling van mensen is. Mensen die hun gedrag moeten veranderen - en dat is niet eenvoudig. We hebben ook gezegd dat we door die bril naar de invoering van het duale stelsel zouden gaan kijken, dus als een *veranderingstraject*. We hebben onszelf daarbij een aantal vragen gesteld:

- Wat is de aanleiding tot de verandering geweest?
- Wie vond eigenlijk dat dit moest gebeuren en waarom?
- Wie zijn stakeholders en hoe worden deze betrokken bij dit alles?

- Welke doelen zijn precies gesteld en wanneer moeten deze gerealiseerd zijn?
- Hebben betrokkenen een grote interpretatievrijheid of was de afgelopen weg nauwkeurig gedefinieerd?
- Worden er nieuwe eisen gesteld aan betrokken bestuurders en politici?
- Kan iedereen meekomen in dit traject en hoe zit het met wijkers en blijvers?
- Hoe wordt dit project gestuurd en door wie?
- Welke doelen zijn al gerealiseerd?

In de hoofdstukken hiervoor hebben we geprobeerd een antwoord op deze vragen te vinden, enerzijds door een veranderkundige analyse, anderzijds door vele gesprekken met mensen uit de praktijk. Voor ons zijn veel zaken duidelijk geworden. Onze uiteindelijke bevindingen hebt u in dit hoofdstuk kunnen lezen.

Bij ons kwam steeds meer het beeld naar voren van een tweetrapsraket. De eerste trap is de verandering van de structuren. Veranderingen geïnitieerd en ook grotendeels afgedwongen door de invoering van nieuwe wetgeving. De tweede trap zijn de veranderingen die in elke afzonderlijke gemeente bewerkstelligd moeten worden om echt de beoogde resultaten te boeken. Dus niet alleen het verder invoeren van het stelsel zodat de betreffende gemeente aan de nieuwe wettelijke eisen voldoet, maar een stap verder. Het sleutelen aan competenties van bestuurders, cultuurverandering binnen de lokale politieke partijen en het doorvoeren van het principe van 'de beste man of vrouw op de juiste plaats'. Dit soort veranderingen kunnen uiteindelijk leiden tot het realiseren van het uiteindelijke doel: versterking van de lokale democratie. Of dit werkelijk gebeurt, is sterk afhankelijk van het optreden van de verschillende actoren, of - om in de beeldspraak te blijven - van de bemanningen die de verschillende ruimteschepen besturen en op koers moeten houden.

Nu is ruimtevaart niet ons expertisegebied, maar volgens ons werkt het vaak als volgt. Een raket komt van de grond of niet. Wanneer de start op zich goed verloopt, verloopt de eerste trap in de regel ook wel goed. Deze gaat tot een redelijk overzichtelijke hoogte op basis van vrij gangbare technische principes. Bovendien wordt deze trap voor een belangrijk deel gestuurd en gecontroleerd door 'ground control': de initiatoren en hogere gezagsdragers. De tweede trap is technisch complexer en storingsgevoeliger, maar wel de laatste stap naar het einddoel. In deze trap komt het echt aan op de bemanning en heeft 'ground control' nog maar weinig invloed.

Kortom: de laatste stap is niet de eenvoudigste. Maar zonder deze stap ga je het einddoel niet halen en was de eerste stap in feite niet nodig geweest.

8
Hoe verder?

8.1 Inleiding

De commissie Elzinga heeft vastgesteld dat de lokale democratie beter moet gaan functioneren en dat de burger meer betrokken moet worden bij de politiek op lokaal niveau. Om dit te realiseren is in 2002 het duale stelsel ingevoerd.

Wij hebben in onze conclusies al aangegeven dat er bij de introductie van dit stelsel tot nu toe een aantal problemen optreden die om een oplossing vragen, met name op het gebied van inrichting en persoonlijke competenties. Daarnaast hebben we opgemerkt dat, in het kader van 'de beste man of vrouw op de beste plaats', een grote cultuurverandering bij de lokale politieke partijen nodig is.

Om de doelstellingen van de commissie te realiseren en tevens de door ons gesignaleerde problemen op te lossen, moet er volgens ons nog wel het een en ander gebeuren. Daarom doen we in dit afsluitende hoofdstuk een aantal voorstellen voor aanvullende maatregelen, die nodig zijn om het proces succesvol af te ronden.

8.2 Kies kandidaten op competenties

Competentieproblemen spelen vooral op politiek niveau, dus bij raadsleden en wethouders. Dit is ook logisch. Het duale systeem heeft ingrijpende gevolgen gehad voor de functies van deze bestuurders, zodat er nu geheel nieuwe eisen worden gesteld aan raadsleden en wethouders. Zoals we eerder vastgesteld hebben is door de dualisering vooral ook de taak van de fractievoorzitter een stuk complexer geworden. Voor de andere belangrijke betrokkenen, zoals gemeentesecretarissen en directeuren van diensten geldt dit in veel mindere mate. De opgetreden veranderingen liggen vaak in het verlengde van hun 'vroegere' functie.

> In de achterbannen van VVD, CDA, PvdA en andere partijen - met name bij lokale bestuurders en volksvertegenwoordigers - is een groeiend ongenoegen over de onvermijdelijkheden die vanuit Den Haag worden gedicteerd. Cruciaal in de discussie zou de vraag moeten zijn of de huidige staat van de vertegenwoordigende partijendemocratie inderdaad aanleiding is om de personendemocratie in te voeren.

Bron: Binnenlands Bestuur, 12 maart 2004

De op dit moment zittende raadsleden en wethouders zijn niet gekozen op kwaliteiten voor een duaal systeem. Voor de volgende lichting gemeentebestuurders geldt dat in principe wel. Dit betekent dat de volgende gemeenteraadsverkiezingen een stevige impuls kunnen geven aan het duale systeem. Voorwaarde is dan wel dat raadsleden en wethouders vooraf langs de 'duale meetlat' gelegd worden. Oftewel, dat competentiemanagement een veelgebezigde term gaat worden en dat selectie van kandidaten voortaan uitsluitend plaats vindt op basis van kwaliteiten die noodzakelijk zijn voor goed functioneren binnen het duale stelsel.

Hoe zou een profiel voor raadsleden en wethouders nieuwe stijl er uit moeten zien? In de eerste plaats mag dat naar onze mening best een stevig profiel zijn. Zowel in omvang, aantallen FTE's als in euro's die er rondgaan, zijn gemeenten vergelijkbaar met middelgrote tot grote bedrijven. Er is dan ook geen enkele reden om aan wethouders en raadsleden andere eisen te stellen dan aan bestuurders en toezichthouders in het bedrijfsleven. In de tweede plaats kan er naar onze mening geen sprake zijn van één profiel. Nu wethouders niet langer uit de raad gekozen worden en de functies sterker dan ooit uiteenlopen, is het logisch om voor beide functies een apart profiel te maken. In het bedrijfsleven worden immers ook andere eisen aan commissarissen gesteld dan aan leidinggevenden op uitvoerend niveau. Op basis van deze overwegingen hebben we onderstaande profielen opgesteld.

Competentieprofiel raadslid

- communicatief
- in grote lijnen kunnen denken
- hoofd- en bijzaken kunnen onderscheiden
- gericht op het realiseren van maatschappelijke doelen

- goede algemene ontwikkeling, breed georiënteerd
- uitstekend gevoel voor politiek bestuurlijke verhoudingen
- realistisch
- moet volksvertegenwoordiger zijn en zich ook zo opstellen
- laagdrempelig en toegankelijk
- creatief kunnen denken (weg van gebaande wegen)
- teamplayer
- generalist en specifieke kennis van 1 of 2 onderwerpen (T-profiel)
- integer
- voldoende tijd beschikbaar hebben
- stressbestendig

Het raadslid nieuwe stijl is in onze ogen dus een evenwichtige abstracte denker met een flinke bagage, die lijnen kan uitzetten en in staat is tegenwicht te geven aan het college. Een politicus pur sang die ook over voldoende communicatieve en sociale vaardigheden beschikt om de vertegenwoordigende rol goed te vervullen.

Competentieprofiel wethouder

- man of vrouw met lef
- manager
- stressbestendig
- praktisch en realistisch
- uitstekende communicator
- standvastig
- verstand van geld
- uitstekend politiek bestuurlijk gevoel
- erkend specialist op een relevant terrein (scherp T-profiel)
- sterk doelgericht (maatschappelijk)
- effectief
- moet verantwoordelijkheid willen en durven afleggen (niet afschuiven op apparaat)
- overwicht/charisma
- niet te groot ego
- teamplayer
- integer

Terwijl de politiek in de raad zit, gaat het bij de wethouder dus veel meer over het bereiken van doelen. De wethouder zwaait de scepter over een deel van het uitvoeringsapparaat. Daar moet dus ook z'n kracht en passie liggen.

8.3 Pas politiek gedrag aan bij de nieuwe eisen

Cultuur uit zich in gedrag. Dus om een cultuurverandering te realiseren is het nodig dat gedrag verandert. Niet alleen op persoonlijk niveau, ook op partijniveau. Deze veranderingen zijn niet alleen noodzakelijk voor het goed functioneren van het duale systeem, maar ook omdat de burger dit vraagt.

Selecteer de beste man of vrouw

Politieke partijen moeten ten aanzien van het bekleden van wethoudersposten het principe van 'de beste man of de beste vrouw op de beste plaats' gaan hanteren. Dat wil zeggen dat ze ook bereid moeten zijn deze 'meest geschikte manager' van buiten de eigen fractie of zelf van buiten de eigen partij te rekruteren. En dat, wanneer dit niet lukt, men bereid is het (voor)recht om een wethouder te mogen leveren doorgeeft aan een andere partij die wel over goede kandidaten beschikt. Deze veranderingen houden automatisch in dat veel van de fractieleden die in het monistische stelsel tot de groep (kandidaat-)wethouders behoorden, deze positie vrijwillig moeten opgeven ten faveure van beter gekwalificeerde kandidaten.

Leg uit waarom het wel of niet gelukt is

Een tweede cultuurverandering is dat zowel de raad als het college het initiatief moeten nemen om al dan niet bereikte resultaten te bespreken met de burgers. Daarmee bedoelen we niet dat ieder agendapunt eerst uitvoerig met de achterban besproken moet worden, maar wel dat het gemeentebestuur richting de burger verantwoording aflegt voor het gevoerde beleid. Leg maar uit waarom iets wel of niet gelukt is. *Meer* communiceren is daarbij niet altijd nodig, maar (veel) *beter* communiceren is cruciaal voor een goed functionerende lokale democratie.

8.4 Richt je organisatie goed in

De gemeentelijke organisatie, en dan met name de informatiehuishouding, moet zo ingericht zijn dat het duidelijk te volgen is wat er in de uitvoering gebeurt. Op ieder gewenst moment moet de actuele stand van zaken meegedeeld, uitgelegd en verantwoord kunnen worden. Antwoorden als 'Dat zoeken we voor u uit', 'Dat weten we niet precies' of 'Als u dat echt wilt weten kost ons dat twee weken', moeten wat ons betreft verboden worden. Besturen van een gemeentelijke organisatie betekent ook en misschien wel vooral, je informatiehuishouding op orde hebben.

Drempel burgerinitiatief te hoog
Nieuwe aanbevelingen voor gemeenten

De drempels voor het indienen van een burgerinitiatief zijn vaak te hoog. Daarnaast blijken burgers dit instrument slecht te kennen.

In Amersfoort kan een burger in zijn eentje een burgerinitiatief nemen en zo een onderwerp op de agenda van de raad krijgen. In Amsterdam daarentegen moet een inwoner van de hoofdstad, voor het indienen van een geldig burgerinitiatief, de steun van minstens elfhonderd stadgenoten hebben die kiesgerechtigd zijn voor de gemeenteraad van Amsterdam.

De drempel voor burgerinitiatieven verschilt per gemeente, dat is de vrijheid van de lokale autonomie. In Terschelling en Zeist staat het burgerinitiatief bijvoorbeeld ook open voor onroerend goedbezitters en in Zeist voor maatschappelijke organisaties. Voerendaal en de gemeente Aa en Hunze hebben de aanbevelingen overgenomen van de vernieuwingsimpuls: in gemeenten met minder dan twintigduizend kiesgerechtigden zijn minimaal vijftig en maximaal 125 kiesgerechtigden nodig voor een geldig burgerinitiatief. In gemeenten met meer dan honderdduizend kiesgerechtigden moet 0,33 procent van de kiesgerechtigden een burgerinitiatief steunen. Uit de inventarisatie die de vernieuwingsimpuls met het Instituut voor Publiek en Politiek (IPP) heeft gedaan, blijkt dat de drempels te hoog zijn. In de nieuwe handreiking die vandaag op de website van de vernieuwingsimpuls komt, ontbreekt deze aanbeveling. Roelien Lente van de vernieuwingsimpuls: 'Het burgerinitiatief moet laagdrempeliger. De barrières ervoor moeten omlaag zodat het aantrekkelijker wordt om een burgerinitiatief te doen.' Een van de belangrijkste knelpunten voor een burgerinitiatief, zo blijkt uit het onderzoek, is dat burgers niet als instrument. Dat is een van de redenen waarom Amersfoort opnieuw op de eigen gemeentelijke website en pagina burgers weer attent wil maken op de mogelijkheid van om een voorstel op de raadsagenda te krijgen, vertelt woordvoerster Aline Verhoef-Franken van de Amersfoortse raadsgriffie. Behalve slechte informatie en communicatie aan burgers blijken er nog twee factoren te zijn voor het mislukken van een burgerinitiatief: de gemeente gaat niet serieus om met burgerinitiatiefvoorstellen en er is sprake van een onzorgvuldige voorbereiding van de voorstellen door de burgers. Koploper met burgerinitiatieven is de gemeente Nieuwegein. In de Utrechtse gemeente zijn 25 handtekeningen vereist van inwoners van zestien jaar of ouder voor een geldig initiatief. In 2003 waren er twaalf initiatieven. Dit jaar is het een stuk minder, vertelt een gemeentelijke woordvoerder. De reden daarvoor is, denkt hij, dat het publicitaire effect is uitgewerkt van de eerste twee succesvolle initiatieven, gericht op het invullen van een braakliggend terrein in het stadscentrum. (HBo)

Bron: Binnenlands Bestuur, 5 november 2004

Het uiteindelijke succes van het duale bestuur staat of valt met het feit of de burger weer dichter bij de politiek gebracht of getrokken kan worden. Het is al wel duidelijk dat dit geen eenvoudige opgaaf is. Zo geven de onderzoeksresultaten van het Sociaal en Cultureel Planbureau (SCP)[1] aan dat de gemiddelde burger bepaald niet warm loopt voor het lokaal bestuur. Uit deze resultaten komt ook het beeld naar voren dat burgers gewoon willen dat er goed bestuurd wordt en dat de algemene gang van zaken op bestuurlijk niveau hen nauwelijks tot niet interesseert. Ook burgerjaarverslagen zijn volgens het SCP niet het aangewezen middel om de burgers warm te laten lopen. Dergelijke jaarverslagen zijn een soort accountantsrapporten; dus voor de meeste mensen niet interessant en bovendien mosterd na de maaltijd. De conclusie kan dus luiden dat burgers niet te interesseren zijn voor lokale politiek, behalve wanneer het om 'single issues' gaat, of wanneer er binnen een straal van 300 meter vanaf hun huis iets staat te gebeuren wat hen persoonlijk aangaat. Er is geen burger geïnteresseerd in het grasmaaibeleid voor de komende vier jaar, maar als een bepaald grasveld dreigt te verdwijnen door de bouw van een opvangcentrum voor verslaafden zit de publieke tribune vol betrokken buurtbewoners.

De eerdere conclusie 'burgers zijn *niet* te interesseren voor lokale politiek, *behalve* voor…', kan dus omgedraaid worden in 'burgers zijn *wel* te interesseren, maar *alleen* voor zaken die hen echt raken'. Van dat feit zou een gemeentebestuur meer gebruik kunnen en moeten maken. Laat burgers bijvoorbeeld participeren in rekenkameronderzoeken. Je kunt daarbij zelfs afspreken dat een onderzoek niet doorgaat wanneer er geen tien burgers te vinden zijn die zitting willen nemen. De conclusie luidt dan dat 'de burger het issue niet interessant vindt'. Dit in analogie met de politieke markt in Almere, waar 50 handtekeningen voor een bepaalde kwestie recht geven op een inspraakavond met een wethouder of een topambtenaar. Op deze manier komen belangrijke single issues vanzelf naar voren.

Het gemeentebestuur wordt meer en meer afgerekend op de behandeling van dit soort incidentele onderwerpen. Op zich is dat geen probleem. Het betekent namelijk dat de burger voor korte of langere tijd betrokken is bij de gang van zaken in het gemeentehuis. Wellicht leidt dit zelfs tot een hernieuwde interesse voor lokale politiek op een breder vlak.
Het is een laatste strohalm, dus alle reden om daar aan vast te klampen. Hoe kan het gemeentebestuur deze strohalm nu benutten?

SIMmen, hoe werkt het?
Allereerst moet een gemeentebestuur er achter zien te komen welke single issues er leven op gemeenteniveau. Dit zal per gemeente namelijk nogal uiteen lopen. Zo zal in een typische plattelandsgemeente veiligheid misschien geen groot probleem zijn, terwijl dit in de grote steden bijvoorbeeld heel zwaar weegt. Op het platteland kunnen daarentegen zaken als het op peil houden van voorzieningen als de school en de bibliotheek een grote rol spelen. In een typische forenzengemeente zal (behoud van) werkgelegenheid nauwelijks een issue zijn, maar verkeersproblematiek des te meer. Onvoldoende op de hoogte zijn van wat er speelt binnen de gemeentegrenzen kan een gemeentebestuur flink opbreken. Zo kan een slecht geïnformeerde gemeente die in het kader van sociale veiligheid het aantal lantarenpalen in een dorpskern verdubbelt, op flinke weerstand stuiten omdat deze 'lichtvervuiling' de intieme sfeer in het dorp aantast. Men beschouwt de ingreep als weggegooid geld, dat uitstekend besteed had kunnen worden aan nuttiger zaken, zoals de onveilige verkeerssituatie bij de school. Zo'n gemeentebestuur krijgt voor het vak Single Issue Management, oftewel 'SIMmen' een dikke onvoldoende. Er is niet nagedacht over de vraag welke items prioriteit hebben bij de burgerij.

De basis voor SIMmen ligt dus bij weten wat er speelt. En daar is eenvoudig achter te komen. Vraag burgers bijvoorbeeld één keer per jaar via internet of een circulaire waar ze van wakker liggen. Vanuit de informatie die binnenkomt kan een

Het dualiteitenkabinet

actuele top 10 van single issues samengesteld worden. Een eenvoudige vorm van SIMmen is om deze top 10 te combineren met de thema's waar raad en college iets aan willen doen. Alle onderwerpen worden geprioriteerd, oplossingsrichtingen worden aangegeven en er wordt bepaald hoeveel geld de oplossing kost. Daaruit volgt de top 10 van het gemeentebestuur, die expliciet naar de burgers teruggekoppeld wordt, zodat men weet welke thema's het komende jaar of de komende jaren worden aangepakt. Ook tijdens de uitvoering houdt het gemeentebestuur iedereen op de hoogte.

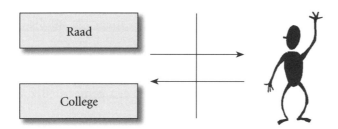

Figuur 8.1 Managen van het snijvlak bestuur/burger

Natuurlijk is dit maar een beperkte manier om in te spelen op de wensen en interesses van de burgers. Maar een gemeente die dit in praktijk brengt, is al wel bezig om het snijvlak tussen het bestuur en de samenleving te managen. Dit is onzes inziens waar het om gaat wanneer je de burger wilt betrekken op basis van single issues: het managen van het snijvlak. De politieke arena tussen raad en college is te 'intern'. Deze gevechten ontgaan de burger grotendeels. De kansen voor het lokale bestuur liggen op het snijvlak waar de wensen en behoeften van de burgers en de oplossingen van het gemeentebestuur elkaar kruisen. Om dit snijvlak te vergroten, dus om de burgers eerder, intensiever en op een breder vlak te betrekken bij de lokale besluitvorming, is het nodig om ook de politieke partijen een rol te laten spelen. Dit kan bijvoorbeeld door het hiervoor omschreven eenvoudige model uit te breiden naar het stappenplan hieronder.

SIMmen op het snijvlak

Om goed te kunnen SIMmen is het belangrijk dat het gemeentebestuur afdaalt uit de ivoren toren. Het besef moet doordringen dat besturen en politiek bedrijven geen doelen op zich zijn, maar ten dienste staan van een samenleving die gevormd wordt door burgers. Openheid naar die burgers is daarom van het grootste belang. Dat begint al bij de basis, de verkiezingen. Wij zien dat bijvoorbeeld als volgt voor ons.

Stap 1

Vraag de burgers naar de onderwerpen die ze belangrijk vinden en stel een top 10 samen.

Stap 2

Vraag de afzonderlijke plaatselijke politieke partijen om aan de hand van deze top 10 een programma te maken van wat ze in de komende vier jaar denken te gaan bereiken wanneer we op hen stemmen. Dus: *wat* denkt een partij in vier jaar te bereiken betreffende de tien punten, *hoe* denken ze dit te gaan doen, en wat gaat dat *kosten*?. Het gaat dan dus over de maatschappelijke effecten die elke partij afzonderlijk in vier jaar wil bereiken, en de financiële implicaties daarvan. Zeg maar doelstellingen die SMARTi zijn.

De resultaten hiervan, concrete programma's toegespitst op de top 10, worden teruggekoppeld naar de bevolking. Die terugkoppeling kan op verschillende wijzen gebeuren. Variërend van het lokale sufferdje tot een gemeentelijk verkiezingsdebat over de top 10 issues.

Stap 3

De openheid naar de kiezer geldt niet alleen voor de afzonderlijke politieke partijen, maar ook voor de raad als geheel. Dus: na de verkiezingen krijgt de raad als onderdeel van haar raadsprogramma de opdracht om dezelfde vragen ten aanzien van dezelfde 10 issues te beantwoorden. Dus: 'Wat wil de raad in vier jaar bereiken, *hoe* denken ze dit te gaan doen, en wat gaat dat *kosten*?' Op deze manier wordt het:

- heel gemakkelijk inzichtelijk te maken wat de doelstellingen waren van de individuele partijen voor de verkiezingen ten aanzien van de top-10 single issues, en wat daarvan in het raadsprogramma terug te vinden is.
- heel tastbaar wat de nagestreefde maatschappelijke effecten ten aanzien van de top 10 issues zijn, en wat die mogen kosten.

Stap 4

Het college wordt met het kader en de doelstellingen, ook ten aanzien van de top 10 issues, op pad gestuurd. Het college komt terug met hoe ze het willen doen: concrete uitvoeringsvoorstellen waar de raad het mee eens kan zijn of niet. Als een voorstel goedgekeurd wordt, moet dit uiteraard weer naar de burger gecommuniceerd worden.

Stel nu eens dat halverwege de bestuursperiode blijkt dat de doelstellingen niet gehaald worden binnen het budget. Dan is het college verplicht dit te melden aan de raad. Niks belet het college echter om in een dergelijk geval ook de mening van de burger te vragen en deze mening te gebruiken in zijn discussie met de raad. Dus een soort van omgekeerde politieke markt. De wethouder nodigt de burgers uit in het wijkhuis en vertelt dat een project ongeveer ander-half jaar langer gaat duren of dat het meer moet gaan kosten. De wethouder heeft nu het initiatief in feite overgenomen, dat is toch dualisme ten top? Laten we dit illustreren met een (fictief) voorbeeld uit de praktijk

Situatie: een middelgrote stadsgemeente heeft 5 wijken. Elke wijk heeft z'n eigen speelplaats. Goede speelgelegenheden is één van de top tien issues van de gemeente, maar de gemeente moet bezuinigen. Vanuit financiële overwegin-gen zou een van de vijf speelplaatsen moeten worden geslachtofferd. Het lijkt logisch om de speelplaats in wijk 3 te sluiten, omdat in wijk 3 een veel lager percentage gezinnen met jonge kinderen woont dan in de andere vier wijken. Alle wijken protesteren, niemand wil z'n speelplaats kwijt.

Gevolg: De wethouder vraagt de burgers zich uit te spreken en gaat terug naar de raad. Daar geeft hij aan dat hij met de bevolking ruggespraak heeft gehou-den en dat de bevolking vindt dat geen van de 5 speelplaatsen gesloten mag worden. Kortom: of de raad ergens anders geld wil weghalen. Uiteindelijk is en blijft het de raad die beslist!

Partijen op het snijvlak
Vroeger was het vaak de wethouder die de coalitiefracties in de raad beïnvloed-de, nu doet de bevolking dat in feite via het snijvlak. Er zijn dus drie partijen die op het raakvlak acteren: de burger, de raad en het college.

Welke invloed heeft dit op de kwaliteit van de raad? De raad moet kunnen aangeven wat hun visie is op de 10 single issues. Mag het wat de raadsleden betreft meer gaan kosten? Zo ja, waar zijn ze dan bereid geld weg te halen? Of mag het niet meer kosten en gaat het dan maar wat langer duren. De raad heeft namelijk wel toezeggingen gedaan aan de burger ten aanzien van deze 10 single issues. Kortom: de raad moet het kunnen uitleggen aan de burger. Dit gaat eisen stellen aan de 'ballen' van de raad. Maar ook aan die van de wethouder, want die moet eerst naar het wijkgebouw om met de bevolking te overleggen.

Er zal dus een tendens ontstaan richting mensen met visie en lef, elk op hun eigen positie, raadsleden en wethouders. Naar onze mening is de eigenschap om te kunnen opereren op het maatschappelijke snijvlak ook een competen-tie.

Dit alles is vergelijkbaar met het landelijke niveau. Daar acteren de vakbonden, het kabinet en de bevolking ook met z'n drieën op het snijvlak van bestuur en samenleving. Het kabinet speelt haar rol, de bonden spelen hun rol, maar pas wanneer de bevolking op de barricades klimt gaan dingen echt bewegen.

Samenvattend

Voor SIMmen, het bedrijven van Single Issue Management, zijn stevige mensen nodig, die het snijvlak durven zoeken, De burger haakt aan op onderwerpen die hij zelf geselecteerd heeft. Aan deze single issues worden mijlpalen, maatschappelijke targets gekoppeld. Daarmee worden de issues projecten die gemanaged moeten worden.

Er is in deze situatie in feite een plaatsvervangend mechanisme gekomen voor het sturen van de fractie door de wethouder, namelijk het sturen van de raad en de fracties in de raad door een kwestie publiek aan de orde te stellen.

Uiteindelijk beslist nog steeds de raad, en niet de straat.

8.6 NIEUWE ROL VOOR DE LANDELIJKE POLITIEK

Op dit moment worden gemeentelijke verkiezingen overschaduwd door de landelijke politiek. De uitslag van Drunen, Ten Boer en Geleen worden vertaald naar effecten op de Tweede Kamer. Kiezers in Yrseke, Dokkum en Enschede spreken (vaak ongewild en onbewust) plotseling al dan niet hun vertrouwen uit in het zittende kabinet. Wat een onzin. Het gaat om lokale verkiezingen en lokale problemen. Maar al te vaak zien we tegen de verkiezingstijd de landelijk coryfeeën zich in de strijd gooien. Dit is absoluut niet bevorderlijk voor het (weer) tot bloei komen van de gemeentelijke politiek.

Wij stellen daarom voor dat landelijke politici zich niet langer laten zien bij gemeentelijke verkiezingen. De lokale partijen en politici moeten zichzelf verkopen. Om dit te bewerkstelligen moet de lokale politiek terug naar lokaal niveau. Dit betekent dat iedere gemeente z'n eigen verkiezingen regelt op een eigen tijdstip. Elke gemeente z'n eigen verkiezingsdatum. In de praktijk betekent dit dat er op termijn elke week in 2 á 3 gemeenten in Nederland verkiezingen gehouden worden. Daarmee worden gemeenteverkiezingen weer een lokaal evenement, met uitsluitend lokale aandacht over onderwerpen die lokaal spelen. Levert dit minder stemmen op?

Is er dan voor de landelijke politici geen rol meer weggelegd op gemeentelijk niveau? Jazeker wel, maar die rol is meer indirect en tegelijkertijd veel zuiverder. Namelijk:
- periodiek de bevolking, niet eens zozeer hun eigen achterban, oproepen om toch vooral te gaan stemmen bij gemeentelijke verkiezingen. Dit is dus meer een algemene oproep die appelleert aan het (voor)recht dat burgers mogen stemmen, dan een gerichte stimulans om op de partij van de betrokken politicus te stemmen

- hun eigen achterban op gemeentelijk niveau stimuleren om alleen maar wethouders te willen leveren wanneer zij echt in staat zijn om de beste man of vrouw op de beste plaats te leveren.

Kortom: dit vraagt om een enorme cultuurverandering bij landelijke politici.

Op deze manier is de cirkel weer rond: de mensen die vonden dat er een duaal systeem moest komen voor de gemeenten (de Tweede Kamerleden) nemen nu hun verantwoordelijkheid door niet langer invloed uit te oefenen tijdens verkiezingen, waardoor uiteindelijk de burger op lokaal niveau weer meer betrokken raakt. Hieruit blijkt ook dat degenen die hebben beslist dat er een duaal systeem moest komen om de lokale democratie nieuw leven in te blazen, in feite onderdeel zijn van het probleem en zelf een cultuurverandering moeten ondergaan. Om de lokale politiek een kans te geven, moeten zij vanuit Den Haag ook zelf veranderingen doorvoeren.

9
Epiloog

NAPRATEN MET PROFESSOR ELZINGA

Je weet het meteen als je binnenkomt: hier woont een geleerde. Overal boeken, hier en daar opgestapeld tot aan het plafond, geuren als in een antiquariaat, schaarse verlichting. Hier wordt wetenschap bedreven.

Professor Elzinga ontvangt ons in zijn kamer op een zonnige, maar koude donderdagochtend in november 2004. We praten met hem over onze bevindingen met betrekking tot de veranderingen binnen 483 gemeentehuizen in Nederland. Want wie kan beter beoordelen of wij het goed begrepen hebben dan deze 'architect' van het dualisme in de gemeentepolitiek?

Professor Elzinga is oprecht verbaasd over de commotie die is ontstaan naar aanleiding van 'zijn' rapport. "Dualisering is ingewikkeld gemaakt, terwijl wij het eigenlijk vrij simpel hadden bedoeld." Er is naar zijn mening nogal wat aan toegevoegd. Zaken die in het advies helemaal niet genoemd werden. Als voorbeeld noemt hij de invoering van de programma- en productbegrotingen. Dit zijn in feite relikwieën uit het BBI-tijdperk[1] die nu via het dualisme bij de gemeenten naar binnen worden gesluisd.

Hij legt uit dat dualisme wat hem betreft om niets meer en niets minder gaat dan het duidelijker maken van verhoudingen. "De scheiding tussen politiek en bestuur moest scherper naar voren komen. In de raad moet politiek bedreven worden, het college moet besturen." Er zijn in de commissie ook andere gemeentelijke organisatiemodellen besproken, zoals een meer bedrijfsmatig overheidskantoor, of een structuur zoals bij de waterschappen. "Wij hebben er echter voor gekozen om de bestaande praktijk nieuw leven in te blazen."

Dat wij verschillen constateren tussen grote en kleine gemeenten vindt hij logisch. "In kleine gemeenten zit de raad dichter bij het bestuur en wil ook graag mee besturen, dit in tegenstelling tot grote gemeenten. De politisering-graad is er veel lager, men werkt daar veel meer vanuit het harmoniemodel." Elzinga legt uit dat de vraag of het duale stelsel alleen van toepassing zou moeten worden op grote gemeenten of niet, ook uitgebreid in de commissie is besproken.

Hij benadrukt dat er bewust is gekozen om een aantal facultatieve zaken op te nemen in de nieuwe gemeentewet. "Ja, het is waar dat er een griffier moést komen, maar wat je deze functionaris laat doen en hoe groot je de griffie maakt is een eigen keuze. Ditzelfde geldt voor de rekenkamerfunctie. Dat die er straks moet zijn is duidelijk. Wat deze rekenkamer gaat onderzoeken, hoe veel onderzoeken er per jaar gaan plaatsvinden, maar ook of je een rekenka-merfunctie alleen of met buurgemeenten opzet, is niet voorgeschreven." Ons idee om burgers te laten participeren in een rekenkameronderzoek valt bij hem in goede aarde, met name omdat langs die lijn vast te stellen is of er überhaupt een burger geïnteresseerd is in het aangekondigde onderzoek.

Ook de wethouder nieuwe stijl komt tijdens ons gesprek aan de orde. Met name het feit dat wethouders nu ook van buiten de raad en zelfs van buiten de gemeente aangetrokken mogen worden. Het aantal kandidaten waaruit gekozen kan worden wordt hierdoor veel groter. Ook Professor Elzinga ziet dit als een duidelijke kwaliteitsimpuls. Hij stelt vast dat wethouders steeds vaker gekozen worden op specifieke kwaliteiten die op dat moment nodig zijn en dat dit heel positief uitpakt.

De rol van de fractievoorzitters is ook in zijn ogen veel belangrijker geworden. Waar voorheen de wethouder de functie van 'eerste man' vervulde, politieke lijnen uitzette en de discussie stuurde, moet de fractievoorzitter dat nu doen. "De beschikbaarheid van kwalitatief goede mannen of vrouwen voor die post zal essentieel blijken," aldus Elzinga. "Dat de wethouders klagen vind ik een goed signaal. Door het duale stelsel is de politiek belangrijker geworden en het bestuur moeilijker, en dat was precies de bedoeling."

Elzinga stelt vast dat de gemiddelde gemeente 'als bedrijf' vrij goed function-eert. De laatste jaren is er veel aandacht besteed aan de output-zijde van het gemeentehuis. De input-zijde is daarentegen wat uit de aandacht verdwenen. Voor wie doen we dit? Waarom doen we dit en wat vinden de burgers er van? Wat is belangrijk nu en hier? Onze suggestie om via een jaarlijkse top 10 een agenda te bepalen en daarover frequent en intensief met de burgers te overleg-gen, wordt met enthousiasme begroet. Niemand is geïnteresseerd in het gras-maaibeleid van de komende twee jaar.

Wij vragen hem naar de overwegingen van de commissie om juist deze structuuringreep te doen en het daarna aan het veld over te laten. Het blijkt een weloverwogen keuze te zijn. "We hadden bijvoorbeeld ook een grootscheepse cultuurverandering kunnen voorstellen, maar daardoor zou er niet echt iets in beweging zijn gekomen. De commissie heeft daarom gekozen voor een zware institutionele ingreep om het bed eens fors op te schudden. Een aantal zekerheden en vanzelfsprekendheden is weggenomen om politici en bestuurders te dwingen tot een vorm van reflectie op de politieke arena en op het eigen functioneren daarin." De commissie hoopt dat deze bezinning de burger-kiezer weer prominent in beeld brengt. "Slagen gemeentes hier niet in, dan wordt een gemeente een uitvoeringskantoor van de Rijksoverheid. Dit betekent ook het einde van de partijpolitiek zoals wij die in Nederland kennen," aldus Elzinga.

Tenslotte komen we te spreken over de direct gekozen burgemeester. Elzinga legt ons nog eens precies uit wie in de politiek voor de invoering van het dualisme waren en welke argumenten zij hanteerden, en vervolgens hoe dit alles in het geval van de gekozen burgemeester opnieuw speelt. Volgens Elzinga was er in het kabinet op het gebied van dualisme sprake van een gelegenheidscoalitie: partijen die zich samen kunnen vinden in een besluit, maar daar totaal verschillende achtergrondgedachten bij hebben. Voor de meer rechtse politici was het dualisme een uitgelezen kans om het bestuur op gemeenteniveau (het college) meer ruimte te geven. Voor middenpartijen als D66 had het dualisme heel andere implicaties: versterking van de lokale democratie door de nieuwe positie van de raad.

Elzinga stelt dat bij de besluitvorming rond de gekozen burgemeester een soortgelijk principe een rol speelde. Terwijl de aanhangers van de D66 filosofie de gekozen burgemeester als ultieme vorm van inspraak van de burger zien, is het voor de rechtervleugel een ideale kans om een sterke man binnen het gemeentebestuur te krijgen die de wethouders de juiste kant opstuurt. Ondanks deze grote verschillen in opvatting vonden beide kampen elkaar in het besluit om de gekozen burgemeester in te voeren.

Als veranderingsdeskundigen herkennen wij dit probleem uit ons vakgebied. Daar wordt het het 'one-bed-different-dreams' syndroom genoemd: een overeenstemming tussen partijen die zich om heel verschillende redenen toevallig in hetzelfde kunnen vinden. Gezellig samen onder de wol, ogenschijnlijk niks aan de hand, maar toch met uiteenlopende dromen of doelen.

Als we de woorden van Elzinga vertalen in dit beeld, zien we dat sommigen droomden van de extra ruimte die het bestuur zou krijgen, terwijl anderen juist een versterking van de raad voor zich zagen. Bij de gekozen burgemeester zien sommigen in hun schoonste dromen dat de bevolking nu eens echt inspraak krijgt. Anderen daarentegen krijgen visioenen van een sterke leider, een echte regent. "Zo is het dualisme er gekomen, en zo zal de gekozen burgemeester er ook wel komen." Wanneer het echt lastig wordt? Wanneer je wilt kijken of het brengt wat je ervan verwacht had. Dan wordt de een z'n droom de ander z'n nachtmerrie. Oftewel: langs welke meetlat leg je dan datgene wat je waarneemt.

Elzinga maakt duidelijk dat hij niet voor de gekozen burgemeester is. In ieder geval komt het veel te vroeg. Een stevige burgemeester met een groot kiezersmandaat zal in een aantal gevallen geen boodschap aan de raad hebben, denkt hij. De kans is aanwezig dat er een ouderwetse regent, inclusief de bijbehorende regentencultuur, op het paard wordt gehesen. Dit zal zeker niet overal gebeuren, maar nemen we het risico? Oftewel: spannen we het paard niet achter de dualiseringswagen? De wagen die juist de burger-kiezer in beeld wilde brengen.

Als we nog eens over zijn woorden nadenken, concluderen we dat de partijpolitieke democratie op lokaal niveau wel eens op het spel zou kunnen staan. De gekozen burgemeester zet dit systeem nog verder onder druk. De politieke partijen, denken wij, moeten nu heldere standpunten in gaan nemen en deze meer dan duidelijk verwoorden naar de burger. Wij vrezen dat velen niet beseffen wat er misschien op het spel staat. Of hebben velen zich al losgemaakt van de partijpolitiek?

Na ruim een uur praten stappen we weer de vrieskou in. Groningen, Oude Kijk in 't Jatstraat, 10 uur 's ochtends. 'Het Dualiteitenkabinet is af!'

Bijlage 1

Plannen en sturen van veranderingsprocessen

"Mensen willen wel veranderen, ze willen niet veranderd worden."
(J.G. Wissema)

B1.1 Inleiding

In deze bijlage geven we een zeer beknopte weergave van de hoofdlijnen van de veranderkundige theorie, om u een beeld te geven van de inhoud van de begrippen die in we in eerdere hoofdstukken hebben gebruikt. We streven dus niet naar compleetheid of wetenschappelijke waarde.

De behandelde theorie geeft aan hoe het plannen en sturen van veranderingsprocessen *in de regel* in z'n werk gaat. Waarom 'in de regel'? In de eerste plaats omdat natuurlijk niet ieder veranderingsproces even professioneel gepland en gestuurd wordt. Daarnaast is het ook niet uitgesloten dat er situaties zijn die om een afwijkende aanpak vragen. Het bestuderen van de ins en outs van veranderingsprocessen is namelijk veel meer een toegepaste wetenschap dan een fundamentele. Uitzonderingen op deze theorie zijn dus niet per definitie uitgesloten.

B1.2 Waarom veranderen?

Elke verandering heeft (normaal gesproken) een reden en een doel. Zo kan een verandering nodig zijn als gevolg van:
o   veranderende omstandigheden
o   gewijzigde marktverhoudingen
o   meer kritische burgers/consumenten
o   wijziging in prijs/kwaliteitsverhouding
o   nieuwe producten of diensten
o   veranderde wet- en regelgeving
o   in- of outsoursing
o   personeelsschaarste
o   ontevreden personeel
o   concurrentiele voorsprong willen behouden
o   efficiency maatregelen
o   fusie
o   …………………………………………..

Met andere woorden, er zijn tal van redenen om te veranderen. Al deze redenen komen neer op het hervinden van een nieuw evenwicht. De vraag naar nut en noodzaak kan duidelijk beantwoord worden. Veranderen kent een aantal aspecten. Deze hebben te maken met structuur, procedures, strategie & beleid en techniek, maar vooral ook met mensen.

B1.3 PLANNEN VAN VERANDERINGSPROCESSEN

Analyse

Probleemanalyse
Voordat een verandering wordt ingezet is een probleemanalyse noodzakelijk. Deze geeft antwoord op de volgende vragen:
- Wat is de kern van de zaak, wat is het probleem, hoe is het ontstaan?
- Hoe erg is het?
- Wat kan/moet gelijktijdig worden aangepakt (priorisering)?
- Wat zijn de consequenties voor (nog) niet aanpakken van sommige zaken?

Probleemanalyse is in de praktijk maatwerk[1] en vraagt elke keer opnieuw om een specifieke combinatie van diagnostische methodieken. De grote valkuil bij organisatiediagnostiek is het vertrouwen op één gestandaardiseerde aanpak. Veel methodieken leggen namelijk bepaalde accenten en dicteren als het ware de probleemstelling.

Organisatorische context
Vaak wordt de keuze voor een veranderingsstrategie niet alleen gedicteerd door de problematiek maar ook door de situatie waarin de deze zich voordoet, ook wel de organisatorische context genoemd. Hierbij kan bijvoorbeeld gedacht worden aan de politieke situatie, regelgeving, tijdsdruk of escalatie.

Lerend vermogen
Daarnaast is het belangrijk om vast te stellen wat het lerend vermogen van een organisatie is. Kunnen de betrokkenen het gevraagde inderdaad voor elkaar krijgen. Met andere woorden: is een gezamenlijk leerproces mogelijk. Dit hangt af van de volgende criteria:
- De mate waarin men hecht aan de machtsposities in de vigerende structuur. Houden mensen zich halsstarrig vast aan hun positie of is men bereid daar flexibel mee om te gaan.
- De mate waarin management en medewerkers kunnen reflecteren op het functioneren van de organisatie en hun persoonlijk optreden daarin. Is men in staat zich indringend bezig te houden met het in figuur 5 geschetste spanningsveld tussen doelen, feitelijk functioneren en gezamenlijke ambities?
- De mate waarin de betrokkenen zich identificeren met de organisatie. Welke waarde hechten mensen aan het lid zijn van juist deze organisatie? Zijn ze lid van de club of kijken ze afstandelijk vanaf de tribune naar de organisatie, alsof ze er eigenlijk niet bijhoren?
- De mate waarin kennis en kunde aanwezig zijn om te leren. Zijn mensen in staat complexe problemen te analyseren en te doorzien? Welke inhoudelijke deskundigheid is noodzakelijk? Is deze specialistische kennis aanwezig of moet die tijdelijk ingehuurd worden?

Wanneer een organisatie aan deze criteria voldoet, is een gezamenlijk leerproces mogelijk.

Haalbaarheid
Voordat we nu gaan kijken naar mogelijke interventies om een gewenste verandering te realiseren, moeten we eerst een inschatting maken van de uiteindelijke haalbaarheid van de gewenste verandering. Hierbij zijn in principe twee vragen aan de orde:

- zijn de aangetroffen problemen in voldoende mate beïnvloedbaar?
- zo ja, is de beïnvloeder in de positie om de problemen aan te pakken?

Een valkuil bij de beoordeling of de problemen beïnvloedbaar zijn, is dat er te veel nadruk gelegd wordt op de vraag voor welke uitdagingen de organisatie staat en waar de organisatie op in moet spelen. Twee andere vragen zijn minstens even belangrijk, namelijk:

- waarom gaat het zoals het gaat?
- wat zijn de ambities van de betrokkenen?

Veranderingsprocessen in organisaties spelen zich namelijk af in het spanningsveld tussen doelen van de organisatie, het feitelijk functioneren van de organisatie en de ambities die betrokken personen ten aanzien van de organisatie of zichzelf hebben.

Figuur B1.1 Spanningsveld bij veranderingsprocessen

Gebrek aan zicht op - en respect voor - het feitelijk functioneren van de organisatie en de ambities van de betrokkenen, kan een te oppervlakkige inschatting opleveren van de mate waarin problemen beïnvloedbaar zijn.

Of de beïnvloeder in de positie is om de problemen daadwerkelijk aan te pakken heeft enerzijds te maken met beschikbare maatregelen:

- Is er een repertoire aan maatregelen voorhanden en/of kan de beïnvloeder zelf maatregel bedenken en uitvoeren?

Anderzijds speelt ook de manoeuvreerruimte van de beïnvloeder een belangrijke rol:

- Wat zijn de gegeven feiten waarmee de beïnvloeder rekening moet houden en met wie kan hij samenwerken?

Bij veel veranderingstrajecten binnen de overheid speelt het thema 'manoeuvreerruimte' een grote rol, als gevolg van de specifieke besturingssituatie. Overheidsorganisaties zijn politiekgestuurde organisaties. Dit leidt ertoe dat organisatieveranderingsprocessen uiteindelijk bestuurd of ondersteund moeten worden door het politieke bestuur.

Interventies

Wanneer een gewenste verandering als haalbaar wordt ingeschat en het dus zinvol kan zijn om in te grijpen, moet een inschatting worden gemaakt van de meest kansrijke interventie.

De meest kansrijk geachte interventie volgt uit een 'wik en weeg' proces, waarbij gezocht wordt naar het totaalbeeld van de voorliggende problematiek, de organisatorische context en het probleemoplossend vermogen van de betreffende organisatie. Dit komt in feite neer op het doordenken van de integrale samenhang tussen de problematiek en de factoren die daarbij een rol spelen, zoals de politieke situatie, vigerende regelgeving, tijdsdruk, escalatie, macht, reflectie-vermogen, identificatie en kennis en kunde.

De mogelijke interventies kunnen op drie manieren worden gerangschikt, namelijk naar:
* de strategie waarop de interventie gebaseerd is
* de mate waarin in de organisatie wordt ingegrepen
* de interventiemethodieken die worden toegepast

Strategieën

De veruit meest gehanteerde interventiestrategieën zijn de overtuigingsstrategie, de machts-dwangstrategie en de leerstrategie.

* Overtuigingsstrategie

Bij deze strategie is het draagvlak voor verandering de zekerheid dat de leden van de organisatie zich willen laten overtuigen door feiten en goede argumenten. Bij deze strategie is het uitgangs-punt dat een goede rationele analyse de ingang vormt voor het veranderingsproces.

* Machtsdwangstrategie

Deze strategie is gebaseerd op een sterke centraliteit van macht. De machtsdwangstrategie wordt vaak in noodsituaties met een hoge tijdsdruk toegepast. Er is dan sprake van directe sturing, 'top-down' en gesanctioneerd.

* Leerstrategie

Deze heeft het lerend vermogen van de organisatie als draagvlak. De leiding van de organisatie conditioneert de leerprocessen en laat ruimte voor eigen initiatief. Het management heeft een begeleidende en coachende rol.

Vaak wordt de keuze voor een veranderingsstrategie niet zozeer gedicteerd door de kwestie zelf, maar door de invloed van de context en de aanwezigheid van lerend vermogen. Uitgangspunt is, dat als een leerstrategie mogelijk is, deze de voorkeur heeft boven de andere twee.

Mate van ingrijpen

De mate waarin in het reilen en zeilen van een organisatie wordt ingegrepen wordt ook wel aangeduid met het begrip *interventiediepte*. De volgende vier diepteniveaus worden hierbij onderscheiden:
* operationele activiteiten (het feitelijke gedrag)
* structuur, systemen en werkmethoden (de regels)
* beleid en strategie van de organisatie in relatie met de omgeving (de inzichten)
* de legitimiteit, waarop de organisatie is gebaseerd en de waarden en normen in de samen-werking met elkaar (de principes)

Wijzigingen in operationeel gedrag en aanpassingen van de regels zijn in het algemeen minder ingrijpend dan veranderingen in inzichten en principes.

Interventiemethodiek

Er zijn tal van interventiemethoden. Variërend van individuele coaching tot plenaire voorlichting, van simulaties tot harde confrontaties. De keuze van de interventiemethode(n) hangt sterk af van de onderliggende strategie.

B1.4 Sturen van veranderingsprocessen

Veranderingstrajecten zijn ingrijpende gebeurtenissen. Vaak ingrijpender dan vooraf gedacht was. De voorbereiding laat zich meestal prima vertalen in analyses en breedvoerige rapporten. Als het echter aankomt op concrete acties en tijdsgebonden stappenplannen e.d., blijken deze trajecten vaak heel anders te verlopen dan gepland. Het gevolg is dat menig ingezet veranderingstraject stagneert en substantiële vertraging oploopt, of, nog erger, volledig vastloopt. Hoe kan dit voorkomen worden?

Het interventieplan

Een gedegen interventieplan is de basis van een geslaagd veranderingstraject. In het interventieplan krijgt de interventiestrategie handen en voeten. Deze stap is anders van karakter dan de probleemanalyse en het bepalen van de interventiestrategie: lag daar relatief veel nadruk op reflectie, hier ligt die veel meer op actie. De omvang en aard van interventieplannen kunnen nogal variëren, maar bij de totstandkoming komen drie zaken[2] eigenlijk altijd aan bod: brainstormen over interventies, ordenen en sturing inbouwen. Op elk gaan we hieronder in.

Brainstormen

Op basis van de beoogde uitkomsten van de analyse en de gekozen strategie kunnen de betrokkenen brainstormen over interventies en de mogelijke deeluitkomsten en subdoelen die daarmee bereikt kunnen worden. Ook worden de dilemma's in kaart gebracht. Waar zitten de strijdigheden? Welke vragen liggen nog open? Wat kan zeker niet of moet juist wel! Op deze manier ontstaat in de regel een heterogene mix van interventies, die de haalbaarheid van het hele veranderingsproces verhoogt.

Ordenen

Na het inventariseren van de interventies is het zaak deze een plek te geven. Hierin worden twee processen onderscheiden.
- De opdeling in deeltrajecten, gericht op het verhogen van de slagingskans van bepaalde beoogde uitkomsten. Deze opdeling is ook voor de motivatie van de betrokkenen belangrijk, omdat op deze manier korte termijnsuccessen behaald kunnen worden.
- De fasering van de trajecten: hoe volgende de activiteiten elkaar op en hoe zijn ze van elkaar afhankelijk? Maar ook: hoe wordt er zorg gedragen voor de overdracht tussen de deeltrajecten.

Inbouwen sturing

Het interventieplan is hiermee nog niet af. Naast de inhoudelijke kant van de zaak, de interventies, de beoogde uitkomsten, de samenhang en volgorde, moet een organisatie bij het maken van een interventieplan ook nadenken over een aantal beheersmatige aspecten zoals:
- de organisatie van het geheel: hoe is de rolverdeling
  Wie heeft welke verantwoordelijkheden, bevoegdheden, taken? Wie werken samen? Wie kan stimuleren, wie mag beslissen? Deze keuzes hangen uiteraard sterk samen met het gekozen type strategie.
- tijdsaspecten en timing
  Hoe ziet het algemene tijdpad eruit? Wat zijn de doorlooptijden, waar liggen de mijlpalen?

Belangrijk is om een duidelijk startmoment te markeren: hoe signaleren we dat de verandering is begonnen? Het is raadzaam om voldoende reservetijd in te calculeren, want veranderingsprocessen zijn meestal niet goed voorspelbaar. Ook is het aan te bevelen om alleen de eerstkomende activiteiten in detail te plannen. Misschien moet het plan wel bijgesteld worden als de eerste interventies zijn gedaan. Verder is het zaak om marges in te bouwen bij deadlines. Vertragingen treden immers gemakkelijk op.

- middelen en geld
  Welke middelen, noodzakelijke ondersteuning, reserves en dergelijke hebben we nodig en op welk moment worden die ingezet? Ook hier zijn marges van belang om enige flexibiliteit in te bouwen. Het is verstandig om in ieder geval impliciet een schatting te maken van de hoeveelheid 'interne tijd' die in de verandering gaat zitten. Vaak zijn de 'out of pocket' kosten slechts een fractie daarvan, Besluitvorming op basis van alleen deze laatste kosten geeft dan ook gemakkelijk een zeer vertekend beeld.

- mijlpalen
  Welke uitkomsten kunnen we onderweg verwachten? En hoe kunnen we die markeren? Mijlpalen zijn om meer dan één reden onmisbaar in een veranderingstraject. Enerzijds is er het belang van toetsing. Je wilt de voortgang volgen. Of dit nu gebeurt op basis van harde gegevens uit metingen, of vanuit observaties door de betrokkenen. Maar er is nog een andere, zeker zo belangrijke reden: het vieren van successen, het bezinnen op teleurstellingen. Door middel van rituelen rond mijlpalen gaat de verandering extra leven en kan de overgang naar een volgende fase gesymboliseerd worden.

- het informatieaspect
  Hoe produceren, archiveren en delen we informatie? Afspraken hierover bevorderen de efficiëntie. Maar vaak nog crucialer is het op de juiste manier omgaan met de gevoeligheid van informatie aangaande personeelskwesties, of het strategische gebruik van informatie bij machtsveranderingen. Iedereen die werkt in de politiek kent de waarde en aanpak om informatie op het juiste moment naar de juiste personen te laten lekken.

Tot slot willen we benadrukken dat we een veranderingsproces als een dynamisch proces zien, dat constant geobserveerd wordt en zonodig bijgestuurd. Het begrip 'interventieplan' zou de indruk kunnen wekken dat het volledige traject al van tevoren vastligt. Dat willen we beslist niet suggereren. Vaak zal het plan op basis van de eerste ervaringen of resultaten bijgesteld worden.

B1.5 KRITISCHE SUCCESFACTOREN BIJ HET REALISEREN VAN VERANDERINGEN

Het succes van een veranderingsproces wordt bepaald door de combinatie van een aantal kritische succesfactoren. Goede communicatie is daarbij misschien wel de meest belangrijke. Overall gesproken vinden wij dat veranderingsprocessen transparant moeten zijn. Dit is een normatief uitgangspunt. U kunt het hiermee dus eens of oneens zijn. Transparant betekent dat het hoe, wat en waarom van de verandering bij alle betrokkenen duidelijk is. Ook van eventuele persoonlijke consequenties en de eigen rol binnen het veranderingstraject heeft iedereen een helder beeld. Transparantie vraagt om optimale communicatie. Dat wil zeggen dat alle betrokkenen steeds op de hoogte worden gehouden van de actuele stand van zaken. Mee- en tegenvallers, onverwachte problemen, bijstellingen, alles is openbaar. Communicatie verdient dus vóór en tijdens het traject alle aandacht. Maar ook andere factoren zijn van kritisch belang voor het slagen van een veranderingsproces. Hierna ziet u een aantal belangrijke succesfactoren, met aanbevelingen die hun waarde in de praktijk veelvuldig bewezen hebben.

Communicatie

Verplaats je in de rol van de betrokkenen. Segmenteer naar gelijksoortige entiteiten en pas je boodschap aan op de doelgroep. Wees duidelijk over de bijdrage die je van ze verwacht. Buit successen communicatief uit. Houdt de regie stevig in handen.

Draagvlak

Betrek alle doelgroepen actief in het veranderingsproces, zowel voor de start als tijdens de uitvoering. Uiteindelijk wordt een veranderingsproces immers geïnitieerd om samen met de betrokkenen iets nieuw op te bouwen. De ervaring leert dat er vaak onvoldoende gebruik wordt gemaakt van de rol die de betrokkenen in het veranderingsproces kunnen vervullen.

Sponsorship

Zorg dat het veranderingsproces gedragen wordt door één of meer hooggeplaatste personen op de achtergrond. Stille betrokkenen, die niet actief deelnemen aan het veranderingsproces, maar die wel groot belang hechten aan het slagen van het proces. Personen van invloed dus, waar een projectleider of extern bureau op terug kan vallen bij weerstand uit de organisatie en die maatregelen kunnen nemen als het proces dreigt mis te lopen.

Concrete doelen

Doelstellingen zijn van een niet te onderschatten belang. Maar dan moeten ze wel concreet en haalbaar zijn. Voor onhaalbare doelstellingen gaat niemand een stap harder lopen. Doelstellingen moeten SMARTi zijn: **S**impel, **M**eetbaar, **A**cceptabel, **R**ealistisch, **T**ijdgebonden en **i**nspirerend. Doelen met deze uitgangspunten zijn niet alleen te volgen in de tijd, maar zijn vooral ook goed communiceerbaar. Doelen die niet SMARTi zijn geven vooral een Alice in Wonderland gevoel: als je niet (precies) weet waar je naar toe wilt, is iedere weg die je neemt de goede.

Faciliteren

Ondersteun op de juiste wijze, niet alleen procedureel, ook inhoudelijk. Richt een tijdelijke supportorganisatie in om te ondersteunen. Laat deze organisatie gebruik maken van adequate hulpmiddelen.

Evalueren en bijstellen

Veranderingsprocessen vragen om continue monitoring en bijsturing. Stel daarom gedurende én na afloop van het traject vast of het proces nog op koers ligt en of de doelstellingen worden gehaald. Als dit niet het geval is, moet de aanpak in de regel bijgesteld worden. Evalueren en bijstellen wordt overigens een stuk lastiger als er geen SMARTi doelen geformuleerd zijn.

Bijlage 2

Lijst geïnterviewden

Alberts, Frits
Borger-Odoorn Wethouder
J.F.A. (Frits) Alberts is sinds 2002 wethouder van de gemeente Borger-Odoorn, na 9 jaar als raadslid en fractievoorzitter voor het CDA in de gemeenteraad van dezelfde gemeente te hebben gefungeerd. Van 1995 tot 2002 was hij manager Economische Zaken bij de gemeente Emmen. Frits Alberts is geboren en getogen in Emmen en woont nu in Valthe.

Van Ameijden Zandstra, Louis
Borger-Odoorn Griffier
Louis Faiverinius van Ameijden Zandstra werd geboren in Scharnegoutum. Al vanaf het begin van de zeventiger jaren is hij betrokken bij de overheid; begonnen als leerling-ambtenaar in Doniawerstal bracht zijn loopbaan hem onder andere naar via de Nederlandse Antillen naar zijn huidige functie als griffier bij de gemeente Borger-Odoorn (sinds 2001). Hij was in zijn vele functies ondermeer verantwoordelijk voor management, informatievoorziening, huisvesting, intergemeentelijke samenwerking, Europese Zaken, bestuursondersteuning en beleidscoördinatie, en was nauw betrokken bij de invoering van het dualisme. Louis van Ameijden Zandstra is als bestuurslid betrokken bij diverse stichtingen en serviceclubs en is fervent wedstrijdzeiler.

Apotheker, Hayo
Steenwijkerland Burgemeester
Drs. H.H. (Hayo) Apotheker is sinds 2001 burgemeester van de gemeente Steenwijkerland. Eerder was hij burgemeester van de gemeenten Muntendam (1980-1988), Veendam (1988-1993) en Leeuwarden (1993-1998). In 2000 kwam hij in Steenwijk terecht, het eerste jaar als waarnemend burgemeester. Ook in de landelijke politiek was hij actief: van 1998 tot 1999 was hij minister van Landbouw, Natuurbeheer en Visserij. Hij is lid van D66.

Van Boggelen, Wout
Grootegast Gemeentesecretaris en Directeur Burgerzaken
W.P. (Wout) van Boggelen is directeur sector burgerzaken / gemeentesecretaris bij de gemeente Grootegast. Hij is sinds 1975 in diverse functies werkzaam geweest bij achtereenvolgens de (toenmalige) gemeenten Nieuwkoop, Leimuiden en Olst. Sinds 1987 is hij werkzaam in de gemeente Grootegast, vanaf 1998 in zijn huidige functie.

Dashorst, Toon
Deventer Griffier
Drs. A.G.M. (Toon) Dashorst is raadsgriffier bij de gemeente Deventer. Na zijn studie bestuurskunde ging hij werken bij de gemeente Assen. Van 1990 tot 2002 werkte hij als gemeentesecretaris, eerst bij gemeente De Marne en vanaf 1998 bij gemeente De Wolden. Zijn huidige functie vervult hij sinds oktober 2002.

Dekker, Klaas
Apeldoorn Gemeentesecretaris
Klaas Dekker is sinds februari 2004 gemeentesecretaris in Apeldoorn. Van oorsprong komt hij uit Rotterdam, waar hij door de grote woningnood na de oorlog werd geboren op een woonark op de Rotte. Zijn studies Economie en Andragologie volgde hij in Rotterdam, Parijs en Amsterdam. Na zijn eerste baan als hoofd Thuiszorg in Hoogezand-Sappemeer was hij onder meer hoofd uitvoering Sociale Dienst in Assen, directeur van een sportcentrum, hoofd Personeelszaken bij de gemeente Assen, directeur van een paar afvalbedrijven en algemeen directeur Sociale Zaken en Werk bij de gemeente Groningen. In 2003 werd Klaas genomineerd als overheidsmanager van het jaar.

Drost, Cor
Hoogezand-Sappemeer Wethouder
C.J. (Cor) Drost, is wethouder voor de gemeente Hoogezand-Sappemeer. Na zijn opleiding aan de HBS-A studeerde hij aan de Sociale Academie. Hij is raadslid bij de gemeente Hoogezand-Sappemeer sinds 1982 en sinds 1990 wethouder met diverse portefeuilles. Cor Drost vervult diverse nevenfuncties op landelijk (VNG) en regionaal gebied.

Dijkstra, Oenze
Zwolle Gemeentesecretaris
Oenze Dijkstra is gemeentesecretaris in Zwolle. Hij heeft sociologie gestudeerd aan de Rijksuniversiteit Groningen. Na zijn afstuderen is hij werkzaam geweest bij een gemeente en een regionale welzijnsinstelling. Inmiddels werkt hij ruim 20 jaar bij de gemeente Zwolle en heeft daarbij diverse functies doorlopen: beleidsmedewerker Welzijnsplanning, hoofd afdeling Onderwijs, directeur sector Onderwijs en Welzijn. Sinds 1997 is hij gemeentesecretaris en sinds 1 januari 2002 is hij benoemd tot algemeen directeur, tevens voorzitter van de directie.

Folbert, Bert
Griffier Dongeradeel
A.J. (Bert) Folbert is sinds oktober 2002 griffier bij de gemeente Dongeradeel. Ruimtelijke ordening en volkshuisvesting vormen een rode draad in zijn loopbaan, waarin hij zich met name met beleidszaken bezig hield. Naast zijn werk is hij zeer actief bij de vakbond en bij diverse verenigingen en stichtingen, onder andere op het gebied van natuur en milieu en voetbal. Ook is hij bestuursvoorzitter van een scholengemeenschap voor voortgezet onderwijs. Bert Folbert werd geboren in Rotterdam en kwam via Almelo, Den Haag, Rijswijk, Nuenen en Maarssen terecht in Friesland. Hij is getrouwd met Marianne en ze hebben 5 kinderen, de jongste drie wonen nog bij hen thuis in Ternaard.

Gringhuis, Bert
Tynaarloo Raadslid (CU)
Bert Gringhuis zit als fractievoorzitter van de ChristenUnie in de gemeente-raad van Tynaarlo. Van 1976 tot 1981 was hij voorzitter van de GPJC-afdeling (jongerenorganisatie van het GPV) te Stadskanaal en uit dien hoofde lid van de schaduwfractie van het GPV voor de gemeenteraad in Stadskanaal tot 1988. In 1988 verruilde hij Stadskanaal voor de toenmalige gemeente Zuidlaren.
Vanaf 1995 is hij ook commissielid van de commissie Samenleving in de voormalige gemeente Zuidlaren. Na de gemeentelijke herindeling werd hij vanaf 1 januari 1998 gemeenteraadslid voor GPV/RPF (later overgegaan in ChristenUnie) in de gemeenten Eelde, Vries en Zuidlaren; de nieuwe naam voor deze gemeente werd Tynaarlo.

Groninger, Rolie
Achtkarspelen Gemeentesecretaris
Rolie Groninger is sinds 1997 secretaris/algemeen directeur van de gemeente Achtkarspelen. Na een studie cultureel werk aan de Sociale Academie studeerde hij Sociale Wetenschappen aan de Universiteit, volgde hij een post-academische consultant opleiding en diverse leergangen aan de Bestuursacademie. Hij werkte onder andere bij het Rode Kruis, in een activiteitencentrum voor jongeren en in het welzijnswerk. Vervolgens werd hij organisatie-adviseur bij VDP in Roden en Rotterdam en hoofd P&O en opleidingen bij een ziekenhuis in Drachten. Rolie Groninger woont in de binnenstad van Groningen.

Haerkens, Hans
Algemeen secretaris VNO-NCW Noord
Opererend op raakvlak van politiek en bedrijfsleven fungeert Hans Haerkens (v.a. 1997) als algemeen secretaris van VNO-NCW Noord als een spin in het web. Daarvoor was hij ondernemer in een middelgroot familiebedrijf. In 1981 studeerde Hans af aan Nijenrode. In 1984 behaalde hij zijn masterdegree in international business (Colombia).

Ter Horst, Guusje
Nijmegen Burgemeester
Mevrouw dr. G. (Guusje) ter Horst is sinds april 2001 burgemeester van Nijmegen. Haar portefeuille omvat openbare orde en veiligheid, brandweer en rampenbestrijding, voorlichting en representatie, antidiscriminatiebeleid, bestuurlijke en juridische zaken, externe betrekkingen, coördinatie evenemen-tenbeleid en burgerzaken. Mevrouw Ter Horst is tevens korpsbeheerder van het politiekorps Gelderland Zuid. Na het gymnasium studeerde zij psychologie en in 1984 promoveerde zij in de sociale wetenschappen. Zij is vanaf 1986 actief in de gemeentepoli-tiek, onder andere als wethouder in Amsterdam. Naast haar werk als burgemeester is zij actief als lid en voorzitter van diverse raden, besturen en stichtingen, onder andere op het gebied van cultuur, onderwijs en openbaar bestuur. Guusje ter Horst is lid van de PvdA.

Jager, Gerke
Assen Ambtenaar

Gerke Jager is directeur van de Dienst Ontwikkeling bij de gemeente Assen. Hij studeerde Juridische Bestuurswetenschappen en Arbeids- en Organisatiesociologie aan de Rijksuniversiteit Groningen. Hij werkte onder andere als directiesecretaris en afdelingshoofd bij de gemeente Groningen en als sectorhoofd bij de gemeente Amsterdam. Voorafgaand aan zijn huidige functie was hij directeur van de sector Ruimte in Hoogezand-Sappemeer.

De Jonge, Peter
Heerenveen Burgemeester

Peter de Jonge is burgemeester van Heerenveen. Van 1978 tot 1988 was hij wethouder in Almere. Op 1 december 1988 werd hij benoemd tot burgemeester van Halsteren. Hier bleef hij tot 1993, toen hij naar Heerenveen vertrok om daar zijn functie als burgemeester te vervullen.

Van der Laan, Anne
Heerenveen Griffier

A.K. (Anne) van der Laan was raadsgriffier in Heerenveen. Hij is al sinds 1968 meer dan betrokken bij het raadsgebeuren, in eerste instantie in Groningen. In 1977 vertrok hij naar de gemeente Heerenveen, waar hij zorgde voor de ambtelijke ondersteuning van de gemeenteraad. Gedurende ruim 13 jaar was hij tevens parttime docent staats- en gemeenterecht bij de Bestuursacademie. Na een uitstapje van zes jaar bij dezelfde gemeente in een andere functie (hoofd Publiekszaken) werd hij via coördinator bestuurlijke vernieuwing in augustus 2002 de eerste raadsgriffier van Heerenveen. Sinds 1 oktober 2004 is hij met prepensioen.

Mans, Jan
Enschede Burgemeester

J.H.H. (Jan) Mans is sinds 1994 burgemeester van Enschede. Hij deed Gymnasium B-diploma en studeerde vervolgens Sociologie aan de Katholieke Universiteit Nijmegen, met als specialisatie openbaar bestuur. Hij studeerde cum laude af. Hij werkte onder andere als wetenschappelijk ambtenaar/docent aan de KMA en was lijsttrekker voor de combinatie PvdA/PPR en wethouder in Breda. Na functies als gemeentesecretaris en lid van de Provinciale Staten werd hij benoemd tot burgemeester, eerst in Meerssen, toen in Kerkrade en vervolgens in Enschede.

Mewe, Arjen
Emmen Gemeentesecretaris

Drs. A.J. (Arjen) Mewe is sinds september 2001 secretaris / algemeen directeur van de gemeente Emmen. Hij studeerde Politicologie aan de Vrije Universiteit in Amsterdam en met bijvakken staats- en bestuursrecht en economie. Daarna volgde hij diverse cursussen op het gebied van organisatie en management, recht, informatievoorziening/automatisering en kwaliteitszorg. In de jaren tachtig was hij docent aan de Bestuursacademie Friesland. Zijn ervaring als gemeentesecretaris deed hij onder andere op in Leeuwarden en Voorburg. Van december 1998 tot september 2001 was als (senior) manager in dienst bij Cap Gemini Ernst & Young.

Oosterhof, Jan
Kampen Burgemeester
mr. ing. Jan Oosterhof (1946), burgemeester te Kampen.
Na de HTS heeft de heer Oosterhof zijn doctoraal Nederlands Recht behaald.
Voordat hij in 2001 tot burgemeester van Kampen werd benoemd was hij lid van
Gedeputeerde Staten van Overijssel. Van '85 tot '95 was de heer Oosterhof officier
van Justitie in Maastricht en Almelo.
Naast het zijn van burgemeester is hij o.a. commissaris bij WMO beheer
en WAVIN. Verder is hij lid van het dagelijks bestuur van de Nederlandse Vereniging van
Zuiderzeegemeenten. Jan Oosterhof is lid van de VVD.

Auke Oosterhoff,
regiomanager MKB-Noord
Regiomanager bij MKB-Noord, dé belangenbehartiger voor het midden- en kleinbedrijf. Actief op het
snijvlak van ondernemer en overheid. De gemeentelijke overheid speelt in dat verband een grote rol. De
kwaliteit van de bedrijfsomgeving van de ondernemer heeft veel te maken met het doen en laten van een
gemeente. Als "vertaler" tussen ondernemers en de gemeente zorgen we samen met de ondernemers en met
de gemeente voor een praktische aanpak die goed is voor ondernemers en dus ook voor de gemeente.

Paas, René
Groningen Wethouder
Mr. Drs. F.J. (René) Paas is sinds 1996 CDA-wethouder in Groningen met
een brede portefeuille: volksgezondheid en zorg, sport, stadsbeheer en milieu
en internationale betrekkingen. Paas heeft verscheidene regionale en landelijke bestuurlijke functies, vaak op het gebied van milieu of zorg. René Paas is
getrouwd en vader van twee zoons.

Pompe, Alwi
Lochem Wethouder
A.T. (Alwi) Pompe is wethouder voor de gemeente Lochem. Van 1990 tot 1998
was hij raadslid voor Gemeentebelangen en van 2002 tot heden wethouder voor
dezelfde partij. Voor die tijd was hij werkzaam in het bedrijfsleven.

Paré, Eric
Grootegast Directeur sector Ruimte en loco-secretaris
Eric Paré is sinds januari 2004 Directeur van de sector Ruimte in de gemeente
Grootegast. Na de HTS civiele techniek te hebben afgerond, begon hij zijn werk-
zame leven bij Multec als Technisch Commercieel Medewerker. Daarna is hij bij de
gemeente Bellingwedde vertrouwd geraakt met de overheid als werkgever. Sinds juli
1999 werkt hij bij de gemeente Grootegast, begonnen als Bureauhoofd Openbare
Werken/Grondzaken en nu als Directeur van de sector Ruimte. Eric Paré werd geboren
in Groningen en woont nu in Zuidlaren, hij is samenwonend en heeft twee kinderen.

Pruim, Jan Dirk
Almere Griffier
Jan Dirk Pruim is sinds twee jaar griffier in Almere en voorzitter van de Vereniging
van Griffiers en lid van de begeleidingsgroep van de Vernieuwingsimpuls. Na twee
jaar rechtenstudie heeft hij de opleiding Hoger Bestuursambtenaar afgerond en
diverse managementopleidingen gevolgd. Sinds 1977 is hij werkzaam in de publieke
sector, eerst bij een aantal kleine gemeenten en een provincie. Vervolgens 14 jaar

als gemeentesecretaris in achtereenvolgens de gemeente Laren, Dronten en Kampen. Hij is secretaris en vice-voorzitter geweest van de Vereniging van Gemeentesecretarissen en is nog steeds actief binnen de VNG. Hij treedt ook op als gastspreker en trainer. Tenslotte is hij plaatselijk actief in stichtingen en verenigingen die zich met name richten op kunst en cultuur op sport en op de minder kansrijken in de samenleving. Jan Dirk Pruim is gehuwd, heeft drie kinderen en woont te Dronten.

Ramhorst, Henk
Meppel Raadslid (VVD)
Henk Ramhorst is raadslid voor de VVD in Meppel. Vanaf 1978 is hij actief lid van de VVD en vanaf 1993 als fractievoorzitter. In 2002 werd hij lid van het presidium, lid van de commissies Bestuurlijke Zaken en Maatschappelijke Zaken en plaatsvervangend lid van de commissie Ruimtelijke zaken. Daarnaast is hij bestuurslid bij een scholengemeenschap, waterschap Reest en Wieden en Donderdag Meppel Dag. In het verleden was hij onder andere bestuurslid International Concours Hippique en voorzitter Liberale Kring. Hij vervult diverse Commissariaten

Roek, Josefien
Tubbergen Raadslid (GB/VVD)
J.G.M. (Josefien) Roek-Niemeijer is raadslid voor de combinatie Gemeente Belangen / VVD in Tubbergen. Ze is in 1982 lid geworden van de dorpsraad in Langeveen en secretaris geweest tot en met 1989. In 1990 werd ze lid van de schaduwfractie VVD/Gemeentebelangen in de Gemeente Tubbergen, waar ze in 1994 als raadslid werd gekozen. In 2002 werd ze lijsttrekker. Ze is Fractievoorzitter, lid van het presidium en de commissie bestuurszaken, plaatsvervangend lid commissie Welzijn, Volksgezondheid, Cultuur en Onderwijs en plaatsvervangend lid commissie Volkshuisvesting, Ruimtelijke Ordening en Milieu. Josefien Roek is getrouwd en moeder van 4 dochters. Zij is raadslid geworden vanwege haar nauwe politieke betrokkenheid. Zij zet zich in voor een veilige en leefbare gemeente met een aanvaardbaar voorzieningenniveau.

Schoonen, Monique
Groningen Directeur bsd
Monique Schoonen is directeur van de bestuursdienst van de gemeente Groningen. Ze studeerde rechten aan de Erasmus Universiteit in Rotterdam en master of public management aan de TU Twente. Van 1984 tot 1988 was ze Stafjurist bij de Raad van State en van 1989 tot 2003 heeft ze diverse functies bekleed bij de provincie Zeeland. Haar laatste functie was Kabinetchef Commissaris van de Koningin en Hoofd van de afdeling kabinet, juridische zaken en bestuursondersteuning provincie Zeeland. Sinds 2003 is ze loco-gemeentesecretaris en directeur bestuur in Groningen.

Stavast, Jur
Stadskanaal Burgemeester
J.J. (Jur) Stavast is sinds 1996 burgemeester van Stadskanaal. Hij is lid van het CDA. Hij begon zijn loopbaan in het onderwijs en heeft zich lange tijd ingezet voor de volwasseneneducatie. Van 1991 tot 1995 was hij lid van het College van Gedeputeerde Staten van Drenthe. Zijn huidige burgemeestersportefeuille omvat wettelijke taken, burgerzaken, economische zaken, middenstandszaken, nutsbedrijvenvoorlichting en PR, interne zaken, algemene en bestuurlijke zaken, Streekraad, buitenlandse contacten en ontwikkelingssamenwerking. Naast zijn werk is hij voorzitter van diverse stichtingen.

Mr. Tjisse Stelpstra
gemeentesecretaris Midden Drenthe
Tjisse Stelpstra heeft rechtsgeleerdheid gestudeerd en is sinds 1 oktober 2000 gemeentesecretaris van Midden-Drenthe. Hij heeft daarvoor verschillende functies bij de provincie Noord Holland bekleed. Hij is zijn loopbaan in '87 begonnen in de gemeente Langedijk. Hij heeft verschillende functies bekleed binnen en rond het GPV. Op dit moment is hij nog voorzitter voor de vereniging voor Gereformeerd Primair Onderwijs Noor Oost Nederland. Verder heeft hij meegewerkt aan het rapport 'Herkenbaar Bestuur' o.l.v. J.A. van Kemenade.

Van Vugt, Annemiek
burgemeester van Culemborg.
Mevrouw Van Vugt heeft bijna altijd in het openbaar bestuur gewerkt. Op haar 27ste is zij fractievoorzitter van de PvdA geworden te Etten-Leur. Zij is daar vier jaar later benoemd tot burgemeester. Voordat zij in 1998 burgemeester werd te Culemborg, heeft zij dezelfde functie bekleed bij de gemeente Warnsveld. Op dit moment is zij ook dagelijks bestuurslid van de regio Rivierenland waarbinnen zij de GGD-portefeuille beheert.

Ten Wolde, Henk
Hoogezand-Sappemeer Wethouder
Henk ten Wolde is sinds april 2002 wethouder in Hoogezand-Sappemeer, waar hij werd geboren en getogen. Hij is sinds 1976 lid van de VVD. Zijn politieke carrière begon als voorzitter van het jongerencontact van de VVD in Hoogezand-Sappemeer. Vervolgens heeft hij diverse functies voor de VVD bekleed, onder andere als fractievoorzitter. Naast de gemeenteraadsfractie heeft Henk ook diverse bestuursfuncties bekleed in de afdeling, de ondercentrale en de kamercentrale. Hij is ook voorzitter geweest van de provinciale commissie Economische Zaken van de VVD. Hij heeft nu de volgende onderwerpen in portefeuille: Economische Zaken en Arbeidsmarktbeleid; Ruimtelijke Ordening, Milieu, Beheer, Verkeer & Vervoer.

Wondergem-Nieuwhuizen, Joke
Raadslid CDA Noord Oost Polder
Joke Wondergem-Nieuwenhuizen is raadslid voor het CDA in de gemeente Noord Oost Polder. Onderwijs genoot zij aan de CHA in Dronten, STOAS in Wageningen en AOX Groenhorst College in Emmeloord. Naast haar raadslidmaatschap bekleedt zij bestuursfuncties bij Leader Advies Groep (L.A.G.) van de provincie Flevoland en Provinciaal Platform arbeidsmarkt (opvolger van het R.B.A. ingesteld door de provincie). De afgelopen 15 jaar is zij actief geweest in de C.P.B. Christelijke Plattelandsvrouwen Bond. Ze is Agrarisch ondernemer in Maatschap met J. Wondergem.

Zwaan, Wim
Meppel Wethouder
Wim Zwaan is wethouder in Meppel. Na een korte periode in de journalistiek (Dronten en Lelystad) is hij werkzaam geweest bij de Rijksarchieven in Den Haag en Assen. Daarna werkte hij in het scholings- en trainingswerk als trainer/adviseur en adjunct directeur (Havelte en Oosterhesselen).
Sinds 1993 is hij wethouder bij de gemeente Meppel met op dit moment de portefeuille volkshuisvesting, ruimtelijke ordening en volksgezondheid.

Bijlage 3

Gehanteerde vragenlijst

GESPREKSONDERWERPEN 'DUALISME IN DE PRAKTIJK'

A. Inleiding
1. Wat is uw definitie van dualisme?
2. Was de invoering in de gemeente wat u betreft nodig? Bestonden er problemen die op deze manier aangepakt moesten worden? (de cie. Elzinga spreekt van een impuls voor de vitalisering van het gemeentelijk bestel: 'de arena moet terug in de gemeente politiek').
3. Hoe is de implementatie gemeentebreed verlopen? Welke 'hobbels', praktische problemen moesten overwonnen worden?

B. Gevolgen/Resultaten
4. Wat merkt u in uw functie van het dualisme? Is dit, wat u betreft, een verandering ten goede? (Uitsplitsen naar functie!).
5. Politieke partijen spelen 3 rollen: kaderstellend, controlerend, volkvertegenwoordigend. Kunt u aangeven of en zo ja, hoe deze zijn veranderd?
6. 'Dualisme' is een structuuringreep; bestaande verhoudingen/relaties zijn doorbroken. Dit betekent dat mensen in andere verhoudingen tot elkaar zijn komen te staan.
   a. Kunnen zittende bestuurders en ambtenaren deze slag wel maken?
   b. Moeten er nieuwe/andere eisen aan bestuurders worden gesteld?
   c. Wordt dit veranderingsproces gestuurd? Zo ja, hoe?
   d. Heeft u externe hulp gehad. Zo ja, op welk gebied.
7. Is er na de invoering van het dualisme een informeel circuit ontstaan op basis van de vroegere verhoudingen / werkrelaties?
8. Zijn, voor zover u weet, 'uw' burgers nu tevreden over het functioneren van de gemeentelijke overheid? Onderhoudt u contact met burgers over deze veranderingen?
   a. Is er een andere vorm van inspraak gekomen voor burgers (meer-minder, andere vorm)

C. Veranderingen in de organisatie
9. Is er een raadsgriffier werkzaam en, zo ja, wat merkt u daarvan? (toegevoegde waarde)
10. Beschikt uw gemeente nu over een lokale rekenkamer? Zo ja, hoe is deze tot stand gekomen en welke resultaten heeft dit tot nu toe opgeleverd? Zo nee, kunt u dit verklaren?
11. Is de wethouder anders / beter / effectiever gaan werken?
12. Heeft de dualisering gevolgen gehad voor de aansturing (maar ook effectiviteit en efficiency) van de gemeentelijke organisatie?
13. Is de gemeentelijke organisatie gegroeid o.i.v. het duale stelsel?

D. De cirkel rond

14. Zijn de door de cie. Elzinga gesignaleerde problemen opgelost?
    a. Ondoorzichtige en onaantrekkelijke gemeentepolitiek
    b. Het 'meerdere petten probleem': bestuurder en controleur van het bestuur (de raad)
    c. Collegiaal bestuur: de sterke wethouder tegenover een voorzitter die weinig te vertellen heeft;
    d. Het slecht in beeld zijn politieke partijen en de positie van de raad (te volgzaam, achterkamertjes afspraken e.d.)

15. Het 'dualisme' is nu twee jaar onderweg. Wat denk u wat er de komende twee jaren nog gaat of moet gebeuren? Of is er meer tijd nodig? (Volgens Elzinga moet dit proces tot 2010 de tijd krijgen om zich te bewijzen)

16. Wat is de invloed van de gekozen burgemeester vanaf 2006?

Bijlage 4

Bespiegelingen over de gekozen burgemeester

B4.1 Inleiding

Toen wij in het vroege najaar van 2004 de eerste versie van het hoofdstuk over de gekozen burgemeester schreven, waren er vanuit het kabinet nog geen concrete voorstellen aan de kamer gedaan over dit onderwerp. De gekozen burgemeester, als kroon op het dualisme, leek er echter wel aan te komen. Wij konden alleen gissen in welke vorm. Daarom hebben we op dat moment een soort overzicht gemaakt van mogelijke alternatieven, voorzien van bespiegelingen over de waarschijnlijke gevolgen hiervan. Inmiddels is er veel meer duidelijk geworden over de kant die het op lijkt te gaan. We hebben daarom een nieuw hoofdstuk geschreven, toegespitst op de voorstellen van het kabinet Balkenende. Onze oorspronkelijke bespiegelingen willen we u echter niet onthouden, u vindt deze in beknopte vorm in deze bijlage.

Gekozen burgemeester

Het tweede kabinet-Balkenende wil in 2006 overstappen op een rechtstreeks door de bevolking gekozen burgemeester. Met de kabinetsplannen wordt de door gemeentelijke en vaak ook landelijke politici voorgekookte kroonbenoeming (door de regering) overboord gezet. Als de gekozen burgemeester wordt ingevoerd, gaat een jarenlange wens van D66 in vervulling.

Het belangrijkste voordeel van een rechtstreeks door de bevolking gekozen burgemeester is dat kiezers de kans krijgen hun eigen burgemeester te kiezen, die daardoor ook kan rekenen op draagvlak onder de bevolking. De democratie moet zo worden versterkt en de duidelijkheid over de benoeming vergroot. Volgens een rapport van het Sociaal en Cultureel Planbureau (SCP) is 72 procent van de Nederlandse bevolking voorstander van de gekozen burgemeester.

Tegenstanders van de gekozen burgemeester zijn bang dat het volk een incapabel of populistisch iemand als burgemeester kiest. Een risico is verder dat de gekozen burgemeester geen draagvlak voor zijn beleid kan verwerven in de gemeenteraad, waar politici van andere partijen een meerderheid kunnen hebben.

Behandeling Tweede Kamer

In december 2003 en januari 2004 is een notitie op hoofdlijnen van minister De Graaf in de Tweede-Kamercommissie voor Binnenlandse Zaken behandeld. Een minderheid van de Tweede Kamer vond een Grondwetswijziging noodzakelijk, zodat de burgemeester niet meer voorzitter van de gemeenteraad is. Een motie hierover is echter verworpen.

Voorstanders van Grondwetsherziening stellen dat het voorzitterschap van de gekozen burgemeester conflictueuze situaties kan opleveren, omdat de gekozen burgemeester en de gekozen gemeenteraad elk een eigen kiezersmandaat en eigen programma hebben. In feite ontstaat dan de merkwaardige situatie dat de gemeenteraad het programma van zijn voorzitter moet gaan controleren.

De Tweede Kamer heeft moeite met een door het kabinet gewenst collectief ontslag van alle burgemeesters in 2006. Zij heeft de regering gevraagd te onderzoeken op welke wijze en moment de gekozen burgemeester het beste kan worden ingevoerd. Het kabinet heeft al wel voor niet-terugkerende burgemeesters een sociaal plan toegezegd. Als invoering in 2006 niet mogelijk is, bestaat dan kans dat de Grondwet toch voordat er een gekozen burgemeester komt, zal zijn gewijzigd.

In november 2004 zijn de wetsvoorstellen over de gekozen burgemeester, na advies door de Raad van State, naar de Tweede Kamer gezonden.

B4.2 IS ER IETS MIS MET DE BENOEMDE BURGEMEESTER?

Als een kabinet overweegt een ingrijpende stap te zetten als een grondwetswijziging, mag je verwachten dat er iets goed mis is met de bestaande situatie. Wat mankeert er volgens de voorstanders van de gekozen burgemeester aan het huidige systeem? We zetten wat opvattingen op een rij:

- De kroonbenoeming wordt voorgekookt door lokale en vaak ook landelijke politici.
- Een gekozen burgemeester heeft geen of weinig draagvlak onder de bevolking en draagt dus niet bij aan een sterke lokale democratie.
- Het onpartijdig 'boven de partijen staan' is een achterhaald concept.
- De huidige burgemeester heeft te weinig bevoegdheden om de eenheid van het Collegebeleid te kunnen bevorderen.
- De benoemingsprocedure is ondoorzichtig en staat een goede band met de burgers in de weg.
- Een benoemde burgemeester staat ver af van het volk, is 'daar ook maar neergezet' en dient andere belangen dan die van de burger.
- Een door de Kroon benoemde burgemeester past niet in een gedualiseerd politiek systeem.
- We lopen achter vergeleken met de ons omringende landen.

Wij stellen vast dat er veel 'geloof', 'principe' en 'overtuiging' zit in bovengenoemde argumenten. Dat de huidige door de Kroon benoemde burgemeester niet of onvoldoende functioneert, is niet aangetoond. Dat burgers vrij massaal ontevreden zijn met hun burgemeester ook niet. Dat het in algemene zin straks beter gaat onder een gekozen burgemeester, kan op zijn best gehoopt worden, maar is zeker niet bewezen. Wordt de burger er beter van? Kijken we reikhalzend uit naar het wegstemmen van de burgemeester na vier jaar, als we ontevreden over hem zijn?

Naar onze mening rammelt de probleemanalyse te veel om een drastisch ingrijpen te rechtvaardigen. Het is onvoldoende aangetoond dat er zaken mis gaan of straks dreigen te gaan als de benoemde burgemeester blijft bestaan. Sterker nog, er is nergens aangetoond dat de huidige, door de Kroon benoemde burgemeester, ook maar iets van een oorzaak is van de huidige lokale democratische 'crisis'. Ook de door ons geïnterviewden wijzen niet naar de burgemeester als een oorzaak, laat staan dé oorzaak van het mogelijk democratisch tekort. Veel meer vinden de voorstanders de direct gekozen burgemeester een logische volgende stap binnen het duale stelsel.

'Een rechtstreeks door de bevolking gekozen burgemeester, die met een eigen programma zelfstandig bestuurt en zijn eigen wethouders aantrekt. Dat is de constructie die het beste zou passen in het dualistische bestuursstelsel van gemeenten dat in 2002 is ingevoerd.' Dit zegt prof. mr. Hans Engels in zijn oratie die hij vrijdag 6 juni zal houden aan de Universiteit Leiden. Engels is in december 2001 vanwege de Stichting Thorbeckeleerstoel benoemd tot bijzonder hoogleraar Gemeenterecht/gemeentekunde aan deze universiteit.

De gekozen burgemeester is een instrument om de kwaliteit van het gemeentebestuur te helpen verbeteren. Dat is hard nodig. De afgelopen jaren is immers gebleken dat kiezers grote behoefte hebben aan een overheid die af te rekenen is op concrete resultaten. Veel politici hebben beterschap beloofd, maar zonder concrete systeemveranderingen blijft het bij loze beloften. Laten we de kiezers geven waar ze recht op hebben.

Boris van der Ham
Tweede Kamerlid D66

Bron: De Stentor, 29 oktober 2004

Het Congres van Lokale en Regionale Overheden van Europa stuurde in 1999 een delegatie naar Nederland om te onderzoeken hoe het kwam dat een lidstaat zondigde tegen een bepaling van het Handvest, namelijk dat 'de burgemeester rechtstreeks verantwoording schuldig is aan een gekozen orgaan.'[1] Wellicht is dit een goed argument om over te gaan naar een gekozen burgemeester?

B4.3 OPTIES

Burgers willen zich vertegenwoordigd weten en willen een betrouwbaar bestuur. Dat geldt althans voor een grote groep Nederlanders. Er is ook een grote groep Nederlanders die het allemaal niets of bijna niets kan schelen. Deze groep wordt groter. In het recente rapport van het Sociaal en Cultureel Planbureau staat het netjes beschreven.
Het gemeentebestuur (raad en college) vertegenwoordigt de burger. Wat het gemeentebestuur doet - de doelstellingen die men nastreeft, de manier waarop deze gerealiseerd gaan worden, de middelen die daarvoor ingezet worden - moet dus voor de geïnteresseerde burger te snappen zijn. Zowel tijdens als na het proces moet het gemeentebestuur bereid en in staat zijn verantwoording af te leggen. Figuur B4.1 geeft dit proces schematisch weer.

Figuur B4.1 Rolverdeling gemeenteraad in het huidige duale stelsel

Een gekozen burgemeester moet deze uitgangspunten, de burger vertegenwoordigen én een betrouwbaar bestuur 'leveren', versterken. Het is dus interessant na te gaan of een gekozen burgemeester binnen het huidige duale stelsel voor die extra meerwaarde kan zorgen. Welke opties hebben we daarbij?

Alternatief 1 De burgemeester als manager

Stel, de raad is de gekozen volksvertegenwoordiging die haar eigen voorzitter gaat kiezen. De burgemeester hoort bij het College. Deze gemeenteraad gaat op zoek naar een meerderheid die samen de gemeente gaat besturen. Men zoekt geschikte wethouders die aan het nieuwe, dualistische profiel voldoen en men gaat aan de slag. De raad heeft bepaald waar het naar toe zou moeten gaan en het College moet dit uitvoeren. Het College heeft binnen de geslagen perkpaaltjes een grote autonomie. Dit College heeft een voorzitter nodig. Deze voorzitter is verantwoordelijk voor alle uitvoeringsactiviteiten, inclusief het ambtelijk apparaat. Het lijkt ons logisch dat de raad een voorzitter van het College wenst die goed voor zijn taken is toegerust en waarmee het fatsoenlijk zakendoen is. De raad kiest daarom een voorzitter van het College of het College kiest zelf een voorzitter uit hun midden. Op die manier is het duidelijk dat de raad de baas is, dat men specialisten heeft aangesteld om de uitvoering binnen de gestelde kaders ter hand te nemen en dat men in kan grijpen als dat nodig is (controletaak). De nagestreefde countervailing powers zijn op hun plaats. Dit laatste wordt door velen zeer belangrijk geacht.

Gekozen burgemeester leidt tot permanente crisis

(…) De positie van de burgemeester krijgt veel aandacht in het rapport van de staatscommissie (Commissie Elzinga, red.). Terecht, want voor velen is deze figuur de verpersoonlijking van de gemeente, getooid met een stralenkrans van macht. De commissie ziet voor de burgermeester een rol weggelegd als teamleider, coördinator en stuurder van besluitvormingsprocessen. Kortom, een soort supermanager. Maar waarom zou zo'n burgemeester door de bevolking gekozen moeten worden? Gaat de verkiezingsstrijd dan over weinig aansprekende thema's als organisatiemodellen? Ik zie weinig burgers daarvoor warmlopen. Sommigen, zoals de Amsterdamse burgemeester Patijn, trekken de lijn consequent door en stellen: als de burgemeester direct gekozen gaat worden, moet hij of zij over macht en bevoegdheden kunnen beschikken, zoals het benoemen van wethouders en de vaststelling van de begroting. Op zich een logische redenering. Maar wel een die de positie van de gekozen volksvertegenwoordiging verder uitholt. De kans is levensgroot dat een direct gekozen burgemeester met

Het dualiteitenkabinet

allerlei opvattingen rechtstreeks tegenover een gekozen gemeenteraad komt te staan. Een welhaast permanente crisis zal het gevolg zijn. Voorstanders van dit systeem zouden ook moeten pleiten voor een machtige, door het volk gekozen president!

(...)

De burgemeester, als voorzitter van de raad en college, kan ook in de positie die de Staatscommissie hem wil geven, verreweg het best door de raad zelf gekozen worden.

(...)

Het is toch van de gekke dat een groep volwassen bestuurders, gemeenteraad geheten, niet in staat zouden zijn uit hun midden hun eigen voorzitter te kiezen? En het is een model dat in Nederland ook al vele jaren functioneert: in de Rotterdamse deelraden en Amsterdamse stadsdelen wordt de voorzitter door de deelraad gekozen voor dezelfde periode als die van de raad. Als de commissie deze werkwijze had geëvalueerd, had zij tot de conclusie kunnen komen dat dit prima werkt en navolging verdient.

Leo Platvoet
Eerste Kamerlid GroenLinks

Bron: Binnenlands Bestuur van 11 februari 2000

De keuzes die het College maakt in de uitvoering hebben de belangstelling van de burgers. Zij worden vaak rechtstreeks geconfronteerd met de gevolgen. Zitten de juiste mensen op de juiste plek en zijn er duidelijke en realistische werkafspraken gemaakt, dan kan dit prima werken.

Past hier een door het volk gekozen burgemeester in? Dat is maar de vraag. Een burgemeester zoals hier voorgesteld geeft leiding aan de uitvoeringsorganisatie, is dus in de eerste plaats manager. Wel een manager met een grote autonomie binnen vrij ruime kaders die beschikt over de afgesproken financiële ruimte. Lopen kiezers warm voor het stemmen op 'de beste' manager? Wij vragen het ons af.

We maken het aantrekkelijker. Want bovenvoorgestelde structuur is natuurlijk wel wat zakelijk en saai en heeft nauwelijks ingebouwde spanningen.

Alternatief 2 De burgemeester als 'taskforce leader'

In dit alternatief kiezen de burgers niet alleen een burgemeester, maar ook z'n running mates; de door hem beoogde wethouders. Dit is logisch. Een prima ogend, charismatisch mens die goed communiceert en alle ander gewenste competenties bezit, moet het toch doen met een team. Dus willen burgers weten met welk team men de komende vier jaar te maken krijgt. Dan is de volgende vraag wat dit team gaat doen: welk programma gaan zij uitwerken en uitvoeren. Hier duiken twee opties op. Óf dit team heeft een eigen programma óf men is gehouden het raadsprogramma uit te voeren.

Een eigen programma

Wil het toekomstige College gekozen worden op een eigen programma, dan conflicteert dit met de gekozen raad. Het is in dit geval niet duidelijk wie nu namens het volk spreekt. Raad en College hebben beide een mandaat gekregen. Beide kunnen op onderdelen best met elkaar conflicteren. De raad komt in dit geval in een lastig pakket. Men ziet zich geconfronteerd met een College dat bestaat uit krachtige (laten we maar van een gunstig beeld uitgaan) beroepsbestuurders, ondersteund door een professioneel apparaat. De raad, die bestaat uit vrijwilligers met beperkte tijd en vaak een (grote) informatieachterstand, lijkt hier onvoldoende tegenwicht te kunnen bieden. Ondanks alle controle-instrumenten die de raad nu ter beschikking staan, is de kans niet denkbeeldig dat ze regelmatig van het veld worden gespeeld.

Het raadsprogramma

Bij de tweede optie heeft zich na de verkiezingen een politieke meerderheid gevormd. Deze meerderheid stelt een programma op (het 'regeerakkoord'). Vervolgens werpen zich groepen mensen op die zich presenteren als het ideale College van B&W. Zij moeten aan de bevolking duidelijk maken waarom men hen moet kiezen. Zij 'garanderen' dat zij binnen tijd en budget het regeerakkoord kunnen uitvoeren.

Een variatie op dit scenario is dat de kandidaten zich niet aan het volk, maar aan de raad voorstellen en dat de raad - dat is per slot van rekening de volksvertegenwoordiging - een ploeg kiest.

Alternatief 3 De burgemeester als sterke man m/v

De burgers kiezen een sterke man of vrouw die de uitvoering ter hand gaat nemen. Hij moet het doen met de door de raad aangestelde wethouders én het reeds ontwikkelde programma. De burgers kiezen op het gevoel in de buik, het CV van de kandidaat en zijn of haar communicatieve vaardigheden. De kandidaat moet een leider zijn, maar vooral ook een boegbeeld.

Moet hij dan geen invloed hebben op het programma dat hij met zijn wethouders moet uitvoeren? Dat is maar de vraag. Wethouders moeten mede geselecteerd worden op basis van het werk dat moet worden gedaan. Dit 'werk' kan per periode grote verschillen laten zien. Een kleine stad, die geconfronteerd is met een snelle en grote afname van de werkgelegenheid omdat twee aldaar gevestigde multinationals het werk hebben verplaatst naar lagelonenlanden, vraagt een wethouder met visie op deze problematiek. Een ander voorbeeld: misschien is de gemeente aangewezen als groeikern binnen de provincie en moeten er in hoog tempo woonwijken, industrieterreinen en infrastructuur ontwikkeld worden. Ook dat vraagt specifieke kwaliteiten van een wethouder.

Dit betekent ook dat een kandidaat burgemeester duidelijk moet maken dat hij of zij visie heeft op de bestaande problematiek, de uitgezette lijnen onderschrijft óf zelf aanvullende ideeën heeft.

Het gevaar bij deze variant is dat de bevolking er volstrekt van overtuigd is dat de burgemeester die zij kiezen 'dé man' is, een soort van El Salvatore. In werkelijkheid is dit gewoon niet waar: de raad is de baas. Leg dit in het geval van onenigheid tussen raad en College maar eens uit aan de bevolking. Daar komt bij dat de raad een zo gekozen burgemeester niet naar huis kan sturen.

Misschien ligt de juiste oplossing wel in een ander alternatief. Zou het niet logisch zijn dat de belangrijkste gezagsdrager van de gemeente voortkomt uit het bestuursorgaan met het meeste gezag?

Alternatief 4 De voorzitter van de raad is burgemeester

De raad is de gekozen volksvertegenwoordiging. De raadsleden bepalen via meerderheden waar het naar toe moet gaan met de gemeente. Daartoe stelt zij een uitvoerend orgaan samen, het College. Dit College is mans genoeg een eigen aanvoerder te kiezen. Uiteindelijk is de raad verantwoordelijk voor het wat, hoe, wie en wanneer. De voorzitter van de raad is dus belangrijker dan de voorzitter van het College. Dit is 'slechts' een uitvoeringsorganisatie. Gaat het om de belangrijkste man of vrouw binnen de lokale politiek, dan is dit de voorzitter van de raad, de logische burgemeester.

B4.4 INSTITUTIONALISERING VAN HET WANTROUWEN?

Is het erg als populaire (lokale) figuren of erkende oplichters zich verkiesbaar stellen en gekozen worden? Is dat ware democratie? Maken tegenstanders van de gekozen burgervader of -moeder ons bang met dit soort scenario's om te voorkomen dat de gekozen burgemeester er ooit komt? Of is het kiezen voor een gekozen burgemeester niet meer en niet minder dan de roep om een sterke man. De meerderheid binnen de commissie Elzinga was voor een rechtstreekse verkiezing van de burgemeester. De commissie was in meerderheid ook somber over de toekomst van de partijendemocratie. De beweging van partijen in de richting van individuen is dus logisch. Tellen we daarbij op het wantrouwen van grote delen van de bevolking tegen de politiek, teruglopende ledenaantallen van politieke partijen, afnemende aantallen vrijwilligers en het voortschrijdende proces van individualisering, dan kan het niet anders dan dat wij eindigen bij een 'zware' burgemeester, de sterke man. In dat opzicht is de gekozen burgemeester de institutionalisering van het wantrouwen van het volk.

Gekozen burgemeester dwarsboomt vernieuwing

De overgrote meerderheid van burgemeesters, wethouders, griffiers en gemeentesecretarissen vindt dat de komst van de gekozen burgemeester geen wezenlijke bijdrage levert aan de bestuurlijke vernieuwing.

Van de burgemeesters en wethouders is 84 procent, van de gemeentesecretarissen iets meer dan zeventig procent en van de griffiers ruim zestig procent van mening dat de gekozen burgemeester niet goed is voor de bestuurlijke vernieuwing. Dit blijkt uit een onderzoek van

week 17 | 23 april 2004

Mercuri Urval onder vijfhonderd burgemeesters, wethouders, griffiers en gemeentesecretarissen dat woensdag is gepresenteerd. In het onderzoek is ook de positie van de ambtenaren onder het dualisme onderzocht. Driekwart van de wethouders (67,5 procent) vindt dat ambtenaren in een loyaliteitsconflict verzeild raken wanneer zij direct contact hebben met raadsleden. Van de griffiers en gemeentesecretarissen denkt een minderheid dat zo'n conflict optreedt. De meerderheid van de raadsgriffiers en secretarissen vindt dat er geen sprake is

van een loyaliteits-conflict. Tegelijkertijd blijkt dat burgemeesters, wethouders, griffiers en gemeentesecretarissen vrijwel gelijk denken over het geven van assistentie aan de raad door ambtenaren bij het opstellen van beleidskaders. De griffiers scoren daar het laagste met bijna zeventig procent terwijl de gemeentesecretarissen het hoogste scoren: meer dan tachtig procent vindt dat ambtenaren de raad mogen assisteren bij het opstellen van beleidskaders.
Ook de positie van de hoogste ambtenaar in het lokale bestuur,

de gemeentesecretaris, is onder de loep genomen. Ruim dertig procent van de respondenten is van mening dat deze functie is gedevalueerd sinds de invoering van het dualisme. De burgemeesters zijn daarover het meest uitgesproken, de secretarissen zelf zijn deze mening het minste toegedaan. Opvallend maar niet verrassend is de uitkomst op de stelling of het duale stelsel de burgergerichtheid van ambtenaren heeft bevorderd. Daar is volgens 85 procent van de respondenten na twee jaar dualisme nog niets van terecht gekomen. (HBo)

Bron: Binnenlands Bestuur, 23 april 2004

B4.5 SCHETS RAAD EN COLLEGE VAN B&W

Laten we voor het gemak aannemen dat de meerderheid van de nu zittende burgemeesters geen voorstander is van de direct gekozen variant. Dat kunnen we uiteraard niet aantonen, maar uit de gesprekken met de geïnterviewden krijgen we wel dat vermoeden. Slechts weinig burgemeesters zullen naast onbekende tegenstanders op de markt op een zeepkist gaan staan om zichzelf aan te prijzen. Zeer weinigen zullen (veel) geld beschikbaar hebben - of willen maken - om een website op te tuigen, radio- en televisiezendtijd te bemachtigen, folder, flyers en brochures te laten drukken, om gekozen te worden tot burgemeester.

Profiel gekozen burgemeester

Als bovenstaand uitgangspunt klopt, is de kans dus reëel dat we na 2006 allemaal nieuwe burgemeesters krijgen. Wat is dan een ideaal profiel? Kunnen we volstaan met het volgende eisenpakket:

Kandidaatstelling en kiesgerechtigheid

Voorwaarden om je kandidaat te kunnen stellen zijn:
* Minimum leeftijd op de dag van de verkiezingen 18 jaar of ouder
* Nederlander zijn
* Niet uitgesloten te zijn van kiesrecht

U stelt zich altijd op persoonlijke titel kandidaat. U kunt dat namens een politieke partij doen, maar dat is niet verplicht.

Om te voorkomen dat personen zonder serieuze bedoelingen zich kandidaat stellen, moeten kandidaten voldoen aan een aantal voorwaarden:
* Kandidaten moeten een bepaald aantal ondersteuningsverklaringen overdragen (dat aantal is afhankelijk van de grootte van de gemeente)
* Kandidaten moeten een waarborgsom van € 225 betalen

Ook moeten kandidaten een verklaring omtrent het gedrag kunnen overleggen en een eigen verklaring van integriteit afgeven.

Of moeten we denken aan een zwaarder profiel (we baseren ons hier losjes op het boek 'Visionair Leiderschap'.[2])?

Figuur B4.2 *Profiel van de te kiezen burgemeester*

Is iemand die aan dit laatste profiel voldoet, een andere burgemeester dan de huidige? Is dit de sterke man of vrouw? Of moet aan dit profiel 'populair' toegevoegd worden? Of gaan we onherroepelijk naar een 'machoburgemeester', een éénpersoonspartij met veel macht; het beeld waarvoor burgemeester Wallage van Groningen bang is?

Het dualiteitenkabinet

(...) Burgemeester Jacques Wallage van Groningen, die als paars onderhandelaar eerder nog mede aan de wieg stond van de commissie-Elzinga, is bang voor de 'macho-burgemeester', liet hij weten in de Volkskrant. 'Een door de bevolking gekozen burgemeester krijgt te veel macht, dan krijgen we eenpersoonspartijen', zei hij. 'Zeer veel Groningers, 68 procent, wilden mij als burgemeester, bleek uit een opiniepeiling. Maar als ik met zo'n grote meerderheid word gekozen, zuigt dat politieke impact weg uit de politieke partijen.'

Daar heeft Wallage een punt. De gekozen burgemeester zou namens een partij moeten worden verkozen, maar moet vervolgens, als ware hij een premier, boven de partijen staan. De gemeenteraad, die in een nieuw duaal stelsel het college kritischer zou moeten kunnen controleren, heeft dezelfde politieke verantwoording af te leggen, maar beschikt niet over dezelfde middelen en machtsbronnen als de burgemeester.

Bron: De Groene Amsterdammer van 12-1-2000

Burgemeester met eigen programma versus raad

De huidige voorstellen gaan in de richting van een lokale regeringsleider, een presidentieel stelsel. Het persoonsmodel wordt naast, of zo u wilt tegenover, het partijenmodel gezet. Is dit de dood in de pot of een genadeschot voor een partijendemocratie die op lokaal niveau toch al op sterven dood was?

De lokale verkiezingen worden tot nu toe immers bepaald en overschaduwd door de landelijke politiek. Gemeenteraadsverkiezingen werden interessant door deze te vertalen naar tweede kamerzetels en landelijke politici daar commentaar op te laten geven. Een wethouder uit Dokkum, Elst, Drunen of Middelburg kwam nooit in beeld. Tijdens Fortuijn is dit even veranderd. Er kwamen lokale partijen op met lokale issues die op het landelijk platform niet vertegenwoordigd waren. Het resultaat in Utrecht, Hilversum en Rotterdam was een hogere opkomst en felle lokale discussies over lokale problemen. Er was plotseling iets te kiezen. Lokale issues bepaalden het stemgedrag van zeer veel mensen.

Een gekozen gemeenteraad en een direct gekozen burgemeester zullen zich in hun programma's laten leiden door dergelijke lokaal spelende onderwerpen. Beide hebben daar een standpunt over én mogelijke oplossingen en prioritering. Als dat zo is gaat onderstaand schema werken.

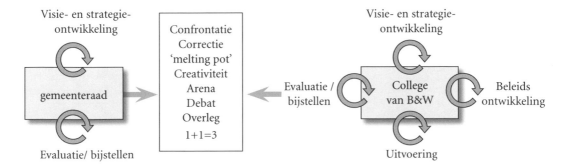

Figuur B4.3 Bestuursprocessen in een gemeentebestuur met gekozen burgemeester met een eigen programma.

Dit model vraagt om een cultuuromslag: afscheid nemen van het consensus-tot-iedere-prijs. Maar omdat raad en college elkaar toch nodig hebben om de gemeente te besturen zullen de 'achterkamertjes' niet verdwijnen. Wethouders die ingrijpende voorstellen willen doen zullen wel gek zijn om niet te overleggen met bijvoorbeeld enkele fractievoorzitters. Alleen politieke brekebenen denken zonder overleg en geven-en-nemen te kunnen.

Beoordeeld moet worden of dit een meer democratisch model is. Worden de belangen van de burgers beter gediend en herkennen we ons in degenen die ons vertegenwoordigen. Ook moet blijken of in termen van efficiency en effectiviteit stappen vooruit worden gezet. De kans bestaat dat in geval van onenigheid er een patstelling ontstaat. Posities worden ingenomen, de hakken gaan in het zand. Iemand moet dan de doorslag kunnen geven. Is dat de gekozen burgemeester of het College? Kunnen we nu de raad naar huis sturen? Dan is hun rol dan echt verworden tot één van spek en bonen. Dus geeft de raad in zo'n geval de doorslag. Eventueel is een burger-raadpleging te organiseren waarvan de uitkomst bindend is.
Dit model heeft in potentie wel in zich dat er meer strijd, confrontatie en daarmee duidelijkheid over standpunten ontstaat. Voorwaarde is wel dat beide strijdende partijen redelijk gelijkwaardig aan elkaar moeten zijn.

Past dit bij de doelen van het dualisme?

Heeft dit alles een meer betrokken burger tot resultaat? Is dit een versterking van de lokale democratie? Worden we straks beter bestuurd? Wellicht. Veel zal afhangen van de kwaliteit van de kandidaten.
Daarbij komt dat ook een gekozen burgemeester zich moet willen laten aanspreken op zijn besluiten en prestaties. Als het zo is dat huidige bestuurders slecht aanspreekbaar zijn, verandert dit niet automatisch door de invoering van een direct gekozen functionaris. Het is dus niet alleen de uitdaging om kwalitatief goede volksvertegenwoordigers en bestuurders te vinden, maar ook personen die aangesproken willen worden op dat wat ze doen én daar de nodige consequenties uit trekken.

"Government of the people, by the people, and for the people."
(Abraham Lincoln)

Dankwoord

Voor u ligt een boek dat na honderden uren praten en schrijven tot stand is gekomen. De mensen die ons hebben aangemoedigd om dit boek toch vooral te schrijven, weten niet wat ze hebben gedaan. Een boek schrijven is namelijk geen onverdeeld genoegen. Er gaat veel meer tijd en gedoe in zitten dan een mens kan voorzien.
Gelukkig hebben de collega's ons deze tijd en dit gedoe van harte gegund.

Tot onze verrassing hebben ook praktisch alle gemeentebestuurders, griffiers, gemeentesecretarissen en directeuren van diensten die wij hebben benaderd, hun medewerking zonder voorbehoud toegezegd. Men heeft de tijd genomen om met ons te praten, uitgewerkte interviews gecorrigeerd en ons succes gewenst met deze onderneming. De openheid van de gesprekken en vooral het vertrouwen dat men in ons stelde heeft ons goed gedaan.

Een harde werker naast ons was Rudy Noordenbos van Tekstkracht 20 uit Groningen. Rudy heeft ons vanuit zijn expertise als redacteur en copywriter inhoudelijk scherp gehouden en onze teksten bewerkt tot het resultaat dat nu voor u ligt.

Bij onze uitgever hebben Louwe Dijkema en Jacqueline Koppelman ons vanaf het begin gesteund, van tips & trucs voorzien, aangemoedigd én fijntjes gewezen op de snel voortschrijdende tijd. De betekenis daarvan kan niet gemakkelijk overschat worden.

Tot slot een speciaal woord van dank voor professor Elzinga die bereid was om open met ons te praten over onze bevindingen over 'zijn' dualisme. Door zijn instemmende opmerkingen zijn we die koude novemberochtend bij hem op de faculteit zeker 2 cm gegroeid.

Beste mensen, wees er van overtuigd dat onze dank zeer groot is.

Hans Korringa
Jan van der Molen

November 2004

Over de auteurs

Hans Korringa MMC CMC (1958)

Hans Korringa is organisatieadviseur en was in 2000 medeoprichter van Think too organisatieadviseurs. Hij was eerder als adviseur en manager werkzaam bij toonaangevende adviesbureaus. Binnen deze bureaus verrichtte hij zowel nationale als internationale adviestrajecten.
Naast het uitvoeren van strategie- en veranderingstrajecten, doceert hij aan de RUG. Binnen de postdoctorale opleiding Register Controller verzorgt hij de vakken Bestuurlijke Informatievoorziening en ERP-systemen.
Zijn opleidingsachtergrond is Academie voor Lichamelijk Opvoeding, Bestuurlijke Informatiekunde, post-doctoraal EDP-auditing en de postdoctorale opleiding Management Consultant.

ir. Jan van der Molen MMC (1958)

Jan van der Molen is als organisatieadviseur en partner werkzaam bij Think too organisatieadviseurs. Als adviseur houdt hij zich bezig met allerhande vraagstukken op het gebied van organisatieontwikkeling en organisatieverandering. In de regel betreffen dit vraagstukken waarbij de factor mens en verandering kernbegrippen zijn. Zijn werkzaamheden richten zich op zowel overheden als not-for-profit en profit organisaties. Hij studeerde landbouwwetenschappen in Wageningen en Brisbane, Australië. Na in 1985 cum laude te zijn afgestudeerd werkte hij bij de overheid, binnen de semi-overheid en in de adviesbranche. In 2001 voltooide hij de tweejarige postdoctorale opleiding voor Management Consultant van de Vrije Universiteit in Amsterdam. Ook is hij als gastdocent verbonden aan de Mastersopleiding International Business & Management van de Hanzehogeschool in Groningen.

Contactgegevens:

Think too organisatieadviseurs
Postbus 41151
9701 CD Groningen
T 050 369 53 44
www.thinktoo.nl

Bezoekadressen:

Paterswoldseweg 817
9728 BM Groningen

Keulenstraat 11a
7418 ET Deventer

Geraadpleegde literatuur

Baets, W.R.J. 2002. *Wie orde zaait zal chaos oogsten*. Van Gorcum, Assen.

Begeleidingscommissie Vernieuwingsimpuls. 2003. *Dualisme uit de steigers, Eerste jaarbericht van de begeleidingscommissie Vernieuwingsimpuls dualisme en lokale democratie*. VNG Uitgeverij, Den Haag.

Boddy, D. 2002. *Managing Information Systems*. Pearson Education Limited 2002.

Bruel, M. en C. Colsen. 2000. *De Geluksfabriek*. Scriptum Management.

Bruyn de, M., R. de Bruyn en G. de Gier. 2000. *Brood voor iedereen, feestwijn voor iedereen, creatief denken voor iedereen*. Creatief Atelier Windekind, Rumst, Antwerpen.

Caluwe de, L., en H. Vermaak. 2002. *Leren Veranderen. Een handboek voor de veranderkundige*. Kluwer.

Gevel van de, A.A.J.S., en H.P.J. van de Goor. 1984. *Bestuur & Systeem, Een inleiding in de bestuurskunde*. H.E. Stenfert Kroese.

Hiemstra, J. 2003. *Presterende gemeenten*. Kluwer.

Leeuw de, A.C.J. 1988. *Organisaties: management, analyse, ontwerp en verandering*. Van Gorcum, Assen.

Leeuw de, A.C.J. 1994. *Besturen van veranderingsprocessen*. Van Gorcum, Assen.

Kamann, D.F. 1996. *Cultuur en strategie*. Charlotte Heymans Publishers.

Kaulingfreks, R. 1996. *Gunstige vooruitzichten*. Kok AgorA.

Kerhoff van, J.J.B. 1999. *Sturen, besturen en gestuurd worden.* Twynstra Gudde management Consultants.

Keuning, D. en D.J. Eppink. 1993. *Management en Organisatie. Theorie en Toepassing.* Stenfert Kroese.

Keuning, D., W. Opheij en T.H. Maas. 1993. *Verplatting van organisaties.* Van Gorcum, Assen/Stichting Management Studies.

Korsten A.F.A. en P.W. Tops. 1998. *Lokaal bestuur in Nederland. Inleiding in de gemeentekunde.* Kluwer.

Licht, G.J. en J.J.H. Nuiver. 2001. *Projecten en beleidsontwikkeling.* Van Gorcum, Assen.

Metselaar E.E. en A.J. Cozijnsen. 1997. *Van weerstand naar veranderingsbereidheid.* Holland Business Publications.

Millkowski, H. Ph. 1977. *Lof der onaangepastheid.* Uitgever J.A. Boom en Zoon.

Otto, M.M. en A.C.J. de Leeuw. 1994. *Kijken Denken Doen. Organisatieverandering: manoeuvreren met weerbarstigheid.* Van Gorcum, Assen.

Otto, M.T. en E.S. Derks. 2003. *De duale organisatie: dubbeldraads of dubbelop? Anders sturen en anders organiseren als gevolg van de dualisering.* Lemma, Utrecht.

Sanders, G. en B. Neuijen. 1992. *Bedrijfscultuur: diagnose en beïnvloeding.* Van Gorcum, Assen / Stichting management studies.

Scott-Morgan, P. 1995. *De ongeschreven regels van het spel.* BoekWerk.

Terpstra, M. 1997. *Maakbaarheid en normativiteit.* Uitgeverij SUN.

Vernieuwingsimpuls dualisme en lokale democratie. 2002. *Pionieren met dualisme.* VNG uitgeverij, Den Haag.

Vernieuwingsimpuls dualisme en lokale democratie. 2004. *De positie van de wethouder: de toekomst van het verleden?* VNG uitgeverij, Den Haag.

Weterings, R. 2003. *Gemeenteraad keert blik verder naar binnen.* In: Tijdschrift voor de Sociale Sector, nr. 6, pp. 16-20.

Wissema, J.G., H.M. Messer en G.J. Wijers. 1986. *Angst voor veranderen? Een mythe?* Van Gorcum, Assen.

Woldring, H.E.S. 2001. *Kernbegrippen in de politieke filosofie.* Uitgeverij Coutinho, Bussum.

Noten

NOTEN 1 INLEIDING

1 Filosofie voor beginners, Donald Palmer, uitgeverij Het Spectrum BV, Utrecht, 1999
2 John Locke (1632 – 1704). Locke verzette zich tegen de 'divine right of kings theory'. Deze gaf aan dat God enkele mensen selecteerde om in zijn naam de wereld te regeren. Dus dat wat de Koning besloot was de wil van God. Locke vond echter dat het bestaansrecht van de regering was het beschermen van de 'natural rights' van de mensen: leven, vrijheid en bezit. Deed de regering zulks niet, had het volk het recht de regering omver te werpen. Dit idee is later 'verwerkt' in de 'Declaration of Independence' door Thomas Jefferson.
3 Vrij naar de tekst te vinden op http://www.handboekrampenbestrijding. nl/contents/pages/4051/hdbk23gemeentewet_integraal2002.pdf
4 Pionieren met Dualisme, VNG uitgeverij Den Haag pagina 7
5 Pionieren met Dualisme, VNG uitgeverij Den Haag, pagina 7
6 uit Dagboekje Dualisme, mr. René Paas, privé-aantekeningen.
7 Artikel 'Met Elzinga keert de politiek niet terug', 1 april 2001 op www.lokaalbestuur.nl
8 Vrij naar 'Twee eeuwen Groninger gemeenten', Peter Ekamper, in Noorderbreedte
9 De smalle marge van de democratische politiek, Joop den Uijl, 1970

NOTEN 2 WAT MOGEN WE VERWACHTEN VAN EEN GEMEENTEBESTUUR?

1 Het is de taak van burgemeester en wethouders aan de raad de nodige voorstellen te doen. Maar raadsleden kunnen ook zelf een voorstel voor een ontwerp-verordening of ontwerp-beslissing doen. Hiervoor is het recht van initiatief toegekend. Een voorstel voor een ontwerp-verordening moet de raad in behandeling nemen. Voor andere initiatiefvoorstellen is geen verplichte behandeling voorgeschreven. Dit betekent dat de raad (aanvullende) voorwaarden kan stellen aan het in behandeling nemen van een ander initiatiefvoorstel.

Het dualiteitenkabinet

2 Leden van de raad kunnen aan de raad wijzigingen op het voorstel van het college voorstellen, de zogenaamde amendementen. Wanneer een amendement is ingediend, kan dit voor een ander raadslid aanleiding zijn, op dit amendement nog weer een wijziging voor te stellen, het subamendement.

3 Een motie is een voorstel tot het doen van een uitspraak. Het kan gaan om het uitspreken van een wens (van inhoudelijke, politieke, procedurele aard) of het uitspreken van instemming dan wel afkeuring over bepaalde ontwikkelingen. Een motie betreft dus niet een concreet besluit dat op rechtsgevolg is gericht; een motie heeft geen juridische, maar een politieke betekenis.

4 http://www.vernieuwingsimpuls.nl/themas/ondersteuning_vd_raad/griffier_griffie_secretaris/

5 Stichting Rekenschap (www.rekenschap.nl)

6 Pionieren met dualisme, Vernieuwingsimpuls dualisme en lokale democratie, VNG Uitgeverij BV Den Haag ISBN 90 322 7272 1

7 Bestuur & systeem, een inleiding in de bestuurskunde, Van de Gevel en Van de Goor, Stenfert Kroese 1984 ISBN 90 207 1327 2, pagina 237

8 De vierde macht is als begrip bedacht door Crince Le Roy als titel van zijn oratie als hoogleraar Bestuurskunde te Utrecht in november 1969.

9 De vierde macht revisited, oratie, dr. M.A.P. Bovens, Universiteit Utrecht 13 september 2000

10 The Federalist Papers were a series of articles written under the pen name of Publius by Alexander Hamilton, James Madison, and John Jay. Madison, widely recognized as the Father of the Constitution, would later go on to become President of the United States.

11 Vrij naar De vierde macht revisited, oratie, dr. M.A.P. Bovens, Universiteit Utrecht 13 september 2000, pagina 21

Noten 3   Het stelsel in veranderkundige context

1 Keuning, D. en D.J. Eppink, 1993. Management en Organisatie. Theorie en Toepassing. Stenfert Kroese.

2 rapport Staatscommissie Dualisme en lokale democratie, deel A, pagina 17

3 rapport Staatscommissie Dualisme en lokale democratie, deel A, pagina 15

4 rapport Staatscommissie Dualisme en lokale democratie, deel A, pagina 15

5 rapport Staatscommissie Dualisme en lokale democratie, verkorte versie, deel A, Het advies in de grondverf

6 rapport Staatscommissie Dualisme en lokale democratie, deel A

7 'Bedrijfscultuur: diagnose en beïnvloeding', Sanders en Neuijen, 1987

8 'Werken aan de organisatiecultuur', Hofstede, Bedrijfskunde 58, 1986

9 'Organisatiecultuur, technologie en management in een veranderende samenleving', Bax, 1991

10 'Een kunde in het toepassen van sociaal-wetenschappelijke kennis en sociale vaardigheden teneinde veranderingsprocessen in sociale systemen te initiëren en/of planmatig te beïnvloeden', R. van der Vlist, de dynamiek van sociale systemen, 1981

11 www.vernieuwingsimpuls.nl, www.minbzk.nl/dualisme, www.minbzk.nl/grondwet_en/dualisme_en_lokale, www.vernieuwingsimpulsprovincies.nl, http://www.minbzk.nl/wwwministerdegraafnl, www.vnguitgeverij.nl/artikelen/ Nieuwe_dualismepagina.jsp

12 Van alle kiezers in naar schatting 2,5% lid van een politieke partij. In de jaren 60 was dat 15%. *Het is verleidelijk om de schouders op te trekken over het ledenverlies van de politieke partijen. Maar directeur Gerrit Voerman van Documentatiecentrum voor Nederlandse Politieke Partijen van de Rijksuniversiteit Groningen ziet gevaren voor de democratie. Er zijn in Nederland ongeveer 30.000 politieke functies, variërend van afdelingsbestuurslid tot minister. Als je alle actieve leden van alle politieke partijen optelt, zijn er ongeveer evenveel banen als mensen die daarvoor in aanmerking komen."In personele zin dreigen vraag en aanbod binnen het Nederlandse politieke stelsel steeds meer met elkaar samen te vallen, met alle gevolgen voor de representativiteit van de vertegenwoordiging." Met andere woorden: politici vertegenwoordigen niet meer grote delen van de samenleving. Ze zitten niet meer in de 'haarvaten van de maatschappij'. Dat is slecht voor de democratie. Want wie vertegenwoordigen politici nog? Deze vraag wordt des te prangender als je je realiseert dat het aantal kiezers dat naar de stembus gaat steeds kleiner wordt.*

13 Dualisme uit de steigers, eerste jaarbericht van de begeleidingscommissie Vernieuwingsimpuls, VNG uitgeverij BV, 2003

NOTEN 4 DE INVOERING VAN HET DUALE STELSEL IN DE PRAKTIJK

1 Rapport staatscommissie dualisme en lokale democratie (verkorte versie), deel D, pagina 178
2 Nieuwsbrief 19 De Lokale Rekenkamer

NOTEN 5 DE RESULTATEN VAN DE INVOERING

1 Hoofdstuk 4 'Democratie en civil society', pagina 11
2 Hoofdstuk 4 'Democratie en civil society', pagina 11
3 Hoofdstuk 4 'Democratie en civil society', pagina 13

Noten 6 Impact van de gekozen burgemeester

1 www.minbzk.nl/openbaar_bestuur/

Noten 8 Hoe verder?

1 Onderzoek Sociaal en Cultureel Planbureau oktober 2004

Noten 9 Epiloog

1 BBI staat voor: beleids- en beheersinstrumentarium. Het BBI-project werd in 1987 in het leven geroepen door het Ministerie van Binnenlandse Zaken. Om BBI te kunnen invoeren hebben de gezamenlijke gemeenten in 1989 de Stichting BBI opgericht. Gaandeweg werden de plannen ambitieuzer en veranderde de betekenis in: bestuurlijke vernieuwing, bedrijfsvoering en informatie(voorziening). Eind 1995 werd het BBI-project beëindigd.

Noten bijlage 1

1 Otto, M.M. en A.C.J. de Leeuw, 2000. Kijken, denken, doen. Organisatieverandering: manoeuvreren met weerbarstigheid. ISBN 90 232 29150. Van Gorcum, Assen.
2 De Caluwé, L. en H. Vermaak, 2003. Leren veranderen. ISBN 90 140 61587. Kluwer, Deventer.

Noten bijlage 4

1 uit www.leoplatvoet.nl/gekozenburgemeester.htm
2 Visionair Leiderschap, Robbert K. Cooper, A.W. Bruna Uitgevers BV, 2001